Alexander Ginzburg
27.08.2001

D1750005

Es ist

unmöglich

von dem

zu schweigen,

was ich

erlebt habe

Max Hollweg

Es ist unmöglich von dem zu schweigen, was ich erlebt habe

Zivilcourage im Dritten Reich

Mindt · Bielefeld

Über den Verfasser

Max Hollweg, Jahrgang 1910, arbeitet als Heilpraktiker in Schlangen, Kreis Lippe. Während der Zeit des »Dritten Reiches« hat er, wegen seiner religösen Überzeugung – als praktizierender »Zeuge Jehovas« – sieben Jahre im Gefängnis in Frankfurt/a.M., in den Konzentrationslagern Buchenwald und Niederhagen (Wewelsburg), Kreis Paderborn, verbracht. In den letzten Jahren ist er verstärkt von verschiedenen Institutionen gebeten worden, authentisch über diese Zeit Auskunft zu geben. Daraus ist die Idee zu der nun vorliegenden Publikation entstanden.

1. Auflage 1997
2. Auflage 1998
3. Auflage 2000, neu bearbeitet und erweitert

©   bei M. Hollweg, Schlangen

Layout, Satz, Illustrationen und Umschlaggestaltung:
    Erwin Hoffmann, Schlangen

Herausgeber und alleinige Vertriebsrechte:
    Buchversand Edeltraud Mindt
    Vennhofallee 75 · 33689 Bielefeld
    Postfach 11 05 61 · 33665 Bielefeld
    Telefon 05205/22520 · Telefax 05205/4590
    Internet: http://www.mindt.de
    E-Mail: desi.kuehnel@t-online.de

ISBN 3-00-002694-0

Alle Rechte vorbehalten, insbesondere das Recht der mechanischen, elektronischen oder fotografischen Vervielfältigung, der Einspeicherung und Verarbeitung in elektronischen Systemen, des Nachdrucks in Zeitschriften oder Zeitungen, des öffentlichen Vortrags, der Verfilmung oder Dramatisierung, der Übertragung durch Rundfunk, Fernsehen oder Video, auch einzelner Textteile.

Printed in Germany

Vorwort

Dr. Detlef Garbe

Leiter der KZ-Gedenkstätte Neuengamme

Erst seit kurzem finden bei Gedenkveranstaltungen für die Opfer des NS-Regimes neben den Hauptbetroffenen der nationalsozialistischen Vernichtungspolitik, den Juden, und den vielen anderen Gruppen, die in den Konzentrationslagern und anderen Haftstätten litten, auch die Zeugen Jehovas Erwähnung. Wie bei anderen Minderheiten, deren Verfolgungsgeschichte die Mehrheitsgesellschaft lange Zeit nicht zur Kenntnis nahm – hier sei etwa an die Roma und Sinti, die Zwangssterilisierten, die Homosexuellen und die Deserteure erinnert –, bedurfte es auch in diesem Fall der Eigeninitiative der Betroffenen. Mit der in vielen deutschen Städten gezeigten Ausstellung »Standhaft trotz Verfolgung«, einem unter dem gleichen Titel weltweit verbreiteten Video und zahlreichen Veranstaltungen mit Vorträgen von Historikern und Zeitzeugen versucht die Glaubensgemeinschaft in den letzten Jahren, die Öffentlichkeit über diese weitgehend vergessenen Opfer der Nazi-Verfolgung aufzuklären und damit auch ihre gesellschaftliche Reputation zu verbessern.

Zwar tat sich die Öffentlichkeit bei der Anerkennung des Verfolgungsschicksals auch bei den anderen Minderheiten schwer, doch ist es gleichwohl bemerkenswert, wie stark die gesellschaftlichen Widerstände in diesem Fall waren beziehungsweise teilweise noch immer sind. In den Vorbehalten, die beispielsweise von Fernsehanstalten, Kultusministerien oder mancherorts auch von politischen Gremien gegen eine Thematisierung der Geschichte der Zeugen Jehovas unter der nationalsozialistischen Herrschaft geltend gemacht werden, dokumentiert sich die Sorge, eine derartige Darstellung nutze letztendlich nur der vielfach umstrittenen Glaubensgemeinschaft in ihren missionarischen Bemühungen. Nicht selten beruht diese Einschätzung auf Stellungnahmen kirchlicher Weltanschauungs- und Sektenbeauftragter. Wer so argumentiert, wird jedoch weder dem historischen Sachverhalt gerecht, demzufolge die Zeugen Jehovas zu den ersten Verfolgtengruppen gehörten, dem nationalsozialistischen Anpassungsdruck mit großer Entschlossenheit widerstanden, in den Konzentrationslagern mit dem »lila Winkel« eine eigene Häftlingskategorie bildeten und als Kriegsdienstverweigerer unter dem Schafott oder in den Lagern in großer Zahl für ihren Glauben den Tod erleiden mußten, noch zeugt seine Position von großem Zutrauen in die menschliche Urteilsfähigkeit. Zudem bedeutet die längst überfällige Würdigung der Zeugen Jehovas als Opfergruppe keineswegs eine Billigung oder gar Identifikation mit den Zielen der Wachtturm-Gesellschaft. Das Wissen um die Verfolgung der Zeugen Jehovas im »Dritten Reich« ist vielmehr auch und gerade für jene wichtig, die der Lehre, dem Gruppenkodex und den hierarchischen Organisationsformen dieser Gemeinschaft ablehnend gegenüberstehen.

Lange Zeit zeigte auch die Geschichtsschreibung kein Interesse an den Zeugen Jehovas und ihrem Martyrium im »Dritten Reich«. In den ersten zwei Nachkriegsjahrzehnten erschien kein einziger wissenschaftlicher Beitrag zum Thema. Eine Gesamtdarstellung über den Widerstand der Zeugen Jehovas liegt erst seit 1993 vor. Eine zusammenfassende Monographie über die Bibelforscher-Häftlinge in den Konzentrationslagern fehlt bis heute.

Doch in jüngster Zeit ändert sich das Bild: So sind in den letzten drei Jahren zwölf Buchveröffentlichungen über die Verfolgung der Jehovas im »Dritten Reich« erschienen, weitere fünf über die zuvor noch weitgehend unbekannte Situation ausländischer Zeugen Jehovas unter nationalsozialistischer Besatzungsherrschaft. Hinzu kommen zehn biographische bzw. autobiographische Darstellungen. Zwar wurden auch zuvor Berichte verfolgter Zeugen Jehovas publiziert, doch diese erschienen nur im eigenen Schrifttum der Wachtturm-Gesellschaft. Zudem waren sie nur kurz und nicht lebensgeschichtlich ausgerichtet, sondern an der religiösen Verkündigung orientiert.

Bei dem 1997 unter dem Titel »Es ist unmöglich von dem zu schweigen, was ich erlebt habe« veröffentlichten Bericht von Max Hollweg über seine Erlebnisse in den Konzentrationslagern Buchenwald und Wewelsburg, der nunmehr in einer neu bearbeiteten und erweiterten dritten Auflage vorliegt, handelt es sich somit um ein Pionierwerk, das eine Initialzündung bewirkte. Mehr noch als wissenschaftliche Darstellungen vermitteln die Lebensberichte von Max Hollweg, Anna Denz, Leopold Engleitner, Bruno Knöller, Hans-Werner Kusserow, Max und Simone Liebster, Hubert Mattischek, Alois und Maria Moser, Gerhard Steinacher, Franz Wohlfahrt und Anton Uran mit welcher Gewalt das Nazi-Regime in das Leben von Menschen eingriff, die nicht bereit waren, ihrem Glauben abzuschwören und sich einer Unheil verheißenden Ideologie zu beugen – und sei der Preis auch noch so hoch.

Bei dem Bericht von Max Hollweg handelt es sich um ein ganz außergewöhnliches Zeugnis eines Überlebenden der nationalsozialistischen Verfolgung. Sehr direkt und persönlich schildert er seinen Werdegang, die prägenden Erlebnisse aus Kindheit und Jugend und das Hineinwachsen in seinen Glauben in einer für die große Familie von materieller Not bestimmten Umwelt. Nach mannigfachen Repressionen begann für Max Hollweg 1938 der Weg durch Gefängnisse und Konzentrationslager. Doch weder die furchtbaren Torturen in Buchenwald noch schwierige Situationen in Wewelsburg, sei es als Kapo oder als Sanitäter im Krankenrevier, konnten sein Grundvertrauen zerstören, wobei die Anfechtungen und Momente drohender Verzweiflung durchaus angesprochen werden. Max Hollweg deutet es so, dass allein Glaube und Hoffnung ihm die Kraft gaben, der SS und den Verhältnissen zu trotzen. »Sich selbst treu sein« erklärte er zur Richtschnur seines Handelns.

Dieser Lebensbericht bezeugt, daß der Erweis der Glaubenstreue, nicht aber ein politisches Konzept das Handeln der Zeugen Jehovas bestimmte. Tausende von ihnen nahmen eher Konzentrationslager oder sogar den Tod hin, als sich selbst zu verleugnen. Max Hollweg ist dafür ein Beispiel. Sein Buch ist ein wichtiges Dokument zum Verständnis dieses Opferganges. Es ist ein Buch, das jeden ergreift – unabhängig davon, ob man den Auffassungen des Autors im einzelnen folgen kann oder auch nicht.

Dr. Detlef Garbe

		Seite
Inhalt	Statt eines Vorwortes – einige Anmerkungen	7
	Die Suche vieler Menschen nach einer Grundwahrheit	9
	Versuche den Kopf oben zu behalten, trotz härtester Bedingungen	17
	Hoffnungen auf friedliche und gerechte Weltverhältnisse	23
	Das dörfliche Leben und die Arbeit	29
	Wie kann ich meinem Gott wohlgefallen?	43
	Prägende Erfahrungen in der »Goldenen Stadt« Prag	53
	Gravierender Machtwechsel auch bei uns schmerzlich spürbar	65
	Ein Land hat sich tragisch verändert – haben sich die Bewohner auch generell verändert?	75
	Dramatischer Wandel – sich nicht das Rückgrat verbiegen lassen	87
	Der »herzliche« Empfang eines herzlosen Ordnungssystems	93

Pflichterfüllung in einem faschistischen System wirkt sich Andersdenkenden gegenüber unmenschlich aus	107
Mein kolossaler Irrtum, es wäre nun alles vorbei – was kann ein Mensch noch ertragen?	123
Hat es einen Sinn, diese Drangsalierungen durchzuhalten?	151
Kann man Tragödien positive Seiten abgewinnen?	159
Ängste, Unsicherheiten, aber auch Zuversicht beherrschen das Restkommando	171
Wir schnuppern etwas Morgenluft – unsere Lilienpferdmilchseife belebt den Geist	181
Endlich zu Ende – das Lager löst sich zähflüssig auf	199
Fünfzig Jahre nach diesen Ereignissen	225
Resümee – nie die Hoffnung aufgeben, sondern auf Veränderungen warten	231
Personenregister	234
Anhang	239
Schlußbemerkung	256

Statt eines Vorwortes – einige Anmerkungen

Meine Ausführungen geben der Leserin und dem Leser einen kleinen und subjektiven Einblick in äußerst private Episoden meines Lebens. Es geht mir nicht darum, die größeren Zusammenhänge der Geschichte zu erfassen und zu erörtern. Dies ist oft genug geschehen, auch oft, ohne das Netzwerk eines Systems konkreter zu durchleuchten.

Wer hat das Recht, etwas zu erhellen? Sind es die Täter, die Beteiligten oder die Opfer? Wer trägt die Schuld? Schweigt eine Seite, bekommt die andere Aufwind und trägt teilweise konfuses Gedankengut in die Köpfe der fragenden Menschen. Dies kann ich mit meinen persönlichen Aufzeichnungen kaum ändern. Es ist außerdem eine Frage der Einstellung, ob man an einer Wahrheitsfindung ernsthaftes Interesse hat. Ich habe mir erlaubt, in meinen Aufzeichnungen sowohl positive Erlebnisse als auch negative Erfahrungen zu äußern.

Als kleine Existenzen stehen die meisten Menschen – so auch ich – hilflos in der geschichtlichen Talsohle des Lebens. Man wird mit dem Ablauf der Ereignisse mitgerissen, ohne Einfluß nehmen zu können. Man weiß einfach nicht, was mit einem geschieht. Wo geht es lang? Wer hat noch die Orientierung? Wer zieht welche Fäden?

Trotzdem ergeben sich Chancen, die einen Menschen zufriedenstellen können – man muß sich selbst treu sein, darf sich nicht das Rückgrat brechen lassen. Aus meinen Erfahrungen kann ich sagen, daß man nur Verpflichtungen seinem Gewissen und Gott gegenüber hat. Mein manchmal kindliches Grundvertrauen – durchweg im positiven Sinne gemeint – meinem Gott »Jehova« gegenüber, hat mir geholfen, betrübliche Situationen besser zu meistern.

Die Suche vieler Menschen nach einer Grundwahrheit

Die Zeit am Anfang unseres Jahrhunderts ist von einer kribbelnden Unsicherheit geprägt. Die Vorahnung der kommenden schrecklichen Verhältnisse kündigt sich schleichend an und verunsichert jedermann. Überall scheint die Menschenwelt durchtränkt zu sein von Individuen, die unglücklich über die gegenwärtigen Verhältnisse sind, aber keine vernünftigen Lösungen sehen. Etablierte Kirchen und Religionen bieten keine plausiblen Antworten, sondern durch die offenkundigen Verstrickungen in die jeweils maßgeblichen Herrschaftsstrukturen wird der Katalog an Fragen bei ehrlichen Charakteren eher größer.

Charles Taze Russell, der seine Tätigkeit auf das Urchristentum zurückführt, bringt die biblischen Grundwahrheiten im Jahre 1903 nach Deutschland. Bei allen Geschehnissen, die mein späteres Leben beeinflußt haben, habe ich immer fest daran geglaubt, daß nur mit der Hilfe des heiligen Geistes Gottes das angepriesene riesige Werk durchgeführt werden kann. Immer mehr Menschen, die nach einer in der Religion verborgenen Wahrheit suchen, schließen sich Russells Ideen an. Darum besuchen meine Eltern sonntags gerne die Vorträge der »Ernsten Bibelforscher«. Eine Gruppe trifft sich regelmäßig zur Stärkung des Glaubens in Barmen-Elberfeld, einem Zentrum der Textilindustrie. Sie beklagen sich nicht über den mühevollen Weg dorthin, den sie per Dampflokomotive und zu Fuß zurücklegen.

Meine Eltern wohnen in einer rauchenden, zischenden, an allen Ecken und Enden dampfenden Industrieansiedlung, in Remscheid-Ehringhausen. Dort werde ich am 7. Dezember 1910 als sechzehntes Kind von Anna, geborene Biesel, und Otto Hollweg geboren.

Unter schwersten körperlichen Anforderungen arbeitet mein Vater als Hammerschmied in der bergischen Stahlindustrie, während sich meine Mutter mit den Kindern herumplagt. Weise und umsichtig leitet sie die Familie. Leider sterben im frühen Säuglingsalter fünf meiner Geschwister, davon zweimal Zwillinge. Als ich vier Jahre alt bin, stirbt meine kaum ältere Schwester Elisabeth. Eine sehr traurige Stimmung macht sich das erste Mal bei mir breit. Des weite-

Seid gutes Mutes, ich bin's; fürchtet euch nicht! Math. 14: 27.
Und er wachte auf, bedrohte den Wind . . . Und der Wind legte sich, und es ward eine grosse Stille. Mark. 4: 39.
Aber euch, die ihr meinen Namen fürchtet, wird die Sonne der Gerechtigkeit aufgehen mit Heilung in ihren Flügeln. Mal. 4: 2 Math. 13: 43.

Meine Eltern und einige Kinder vor dem Haus in Remscheid-Reinshagen

ren sind da noch meine älteren Geschwister: Otto, Moritz, Elfriede, Anna, Erwin, Paul, Peter, Hermann und Artur.

Meine Eltern treten aus der Kirche aus und treffen auch für meine Geschwister die Entscheidung, der Kirche den Rücken zu kehren. Mutter weiht ihr Leben im Jahre 1913 Jehova Gott und symbolisiert ihre Hingabe durch die Taufe.

Das Jahr 1914 läßt sich noch ganz friedlich an, doch dann wird im Juni der österreichische Thronfolger ermordet. Dramatische Ereignisse nehmen ihren Lauf. Als der gräßliche 1. Weltkrieg ausbricht, sind meine beiden Brüder Otto und Moritz und meine Schwester Elfriede in der Berufsausbildung.

Ungefähr fünfzig Jahre zuvor hat Charles Darwin sein Werk »Die Entstehung der Arten« veröffentlicht, ein atheistisches Buch über die biologische Evolution. Es beeinflußt

Meine Mutter

Meine Schwester Elfriede

nachhaltig das wissenschaftliche, politische und religiöse Denken. Darwin sieht die Natur als selektierenden Faktor für das Fressen und Gefressenwerden. Nur der Tüchtigste, Stärkste und Schlauste kann demzufolge den Konkurrenzkampf ums Dasein überleben. Schon zu Lebzeiten Darwins propagieren seine Kollegen das Prinzip einer aktiven Auslese auch für die menschliche Gesellschaft. Sir Francis Galton prägt den Begriff »Eugenik«. Herbert Spencer sieht die Unterdrückung der Schwachen als biologisch gewollt und damit das Elend der unteren Schichten als gerechtfertigt. Deutsche Wissenschaftler formulieren die »Rassenhygiene«.

Der sozialdarwinistische Ansatz betäubt moralische Skrupel jedweder Art. Seine Krakenarme haben sich auf das Denken vieler Menschen, besonders von Autoritäten, gelegt.

Moralische Unterstützung für die Kriegsführung bieten traditionell die etablierten Kirchen, die das an und für sich moralisch verwerfliche Töten, begrenzt auf die Kriegszeit, seit eh und je als gerechte Aktion rechtfertigen.

Während das Papsttum der sich zerfleischenden christlichen Welt fromme Sprüche zuruft, bemühen sich Militärseelsorger der jeweils verfeindeten Lager darum, das gegenseitige Abschlachten als höchste Pflichterfüllung anzubefehlen. »Helm ab zum Gebet« lautet das Motto vor und nach dem Gemetzel.

Mein Bruder Moritz

*Mein Brüder
Peter und Hermann*

Es scheint so, daß gemäß der biblischen Prophezeiung, das Ende einer friedlichen Welt gekommen ist.

Viele junge Menschen lassen sich durch die seit Jahren erstarkenden imperialistischen Expansionsbestrebungen einlullen. »Glanz und Gloria« des preußischen Kaiserreiches vermitteln Siegeszuversicht, und junge Leute melden sich freiwillig für »Kaiser, Volk und Vaterland«. Meine älteren Brüder gehören dazu. Otto stirbt neunzehn Monate später »hochdekoriert« in Verdun. Moritz kehrt krank und deprimiert zurück. Über seine Erlebnisse redet er kaum. Wenigstens seine Haut hat er retten können. Die politische Lage ist orientierungslos, und das Land ist wirtschaftlich am Ende. Zudem gibt die junge Demokratie der katholischen Kirche die Privilegien wieder zurück, die das protestantische Kaiserreich ihr genommen hatte.

Mein Bruder Otto *Mein Bruder Artur*

Versuche den Kopf oben zu behalten, trotz härtester Bedingungen

Wenn schon der einzelne kaum etwas Eßbares im städtischen Bereich findet, so hat eine große Familie keine andere Möglichkeit, als aufs Land zu ziehen. Schon in den letzten Kriegsmonaten sind wir Schulkinder in die Dörfer geschickt worden, um für unser Überleben zu schuften. Meine Mutter schaut sich in diesen katastrophalen Tagen, ohne Aussicht auf eine Besserung, nach einem anderen Wohnort um. Ein neues Zuhause finden wir am 20. November 1918 in Marienfels im Taunus, Kreis St. Goarshausen.

Außer meinem jüngeren sechsjährigen Bruder und mir, dem siebenjährigen, gehen alle anderen Geschwister nach dem Schulunterricht arbeiten. Allerdings spitzt sich die Situation für unseren Vater zu. Er hat zumindest Arbeit in der Stahlindustrie, muß aber in Remscheid wohnen bleiben, so daß er uns nur alle zwei bis drei Wochen für einige Stunden besuchen kann. Zu der ganzen Misere kommt dann noch die rapide steigende Inflation. Die Kaufkraft des Geldes wird immer geringer. Als mein Vater an einem Wochenende zu uns kommt, empfängt ihn meine Mutter: »Das Geld, das du von drei Wochen Arbeit gebracht hast, reicht noch nicht mal, um ein Brot zu kaufen.«

Man kann sich sputen, wie man will, das Geld verfällt im Nu. Kein Bauer und Händler will etwas verkaufen, wenn er nicht muß. Nur Ware hat Wert, nicht das Geld. Außer man hat amerikanische Dollars, dann kann man alles erwerben. Ein einziger Dollar hat zeitweise einen Wechselwert von vier Billionen Mark.

Trotz der niederschmetternden Lage sehe ich meine Eltern nie ohne eine Hoffnung für die Zukunft. Mein Vater hat recht früh schon den »Volksboten« abonniert, der Predigten C.T. Russels enthält. Später dann den »Wachtturm«, den ich bis zum heutigen Tage fast lückenlos archiviert habe. Dazu kommen die sieben Bände der »Schriftstudien« und die Publikationen »Der Stein ist im Rollen«, »Millionen jetzt Lebender werden nie sterben«, »Das Goldene Zeitalter«, das »Photo-Drama der Schöpfung« und alle weiteren Veröffentlichungen unter dem Präsidenten der »Watch Tower Society« Joseph Franklin Rutherford.

Eine Veröffentlichung der Wachtturm-Gesellschaft

Vater und Mutter haben sich die christliche Botschaft der Publikationen der Wachtturm-Gesellschaft, die auf die Bibel gestützt sind, zu eigen gemacht. Ihre Begeisterung färbt auch auf mich ab. Mein Glaube an die Botschaft der Bibel wird noch durch reisende Kolporteure und Pilgerbrüder gestärkt, die in unserer Gegend versuchen, mit den Menschen ins Gespräch zu kommen. Festlich wird es, wenn der Glaubensbruder Schneider zu Gast ist und mit uns die karge Mahlzeit teilt. Oder auch Schwester Maria Hombach, die heute noch im deutschen Zweigbüro der Wachtturm-Gesellschaft in Selters/Taunus wohnt. Sie erzählen immer interessante, spannende Neuigkeiten.

Als ich soeben elf geworden bin, stirbt mein Vater unerwartet. Das erschüttert die Familie nachhaltig. Wir klammern uns aber an die biblische Vorstellung von einer Auferstehung der Toten und gehen davon aus, ihn in einem neuen gerechten System wiederzusehen.

Die wirtschaftliche Not ist nun so groß, daß auch ich beim Bauern arbeiten muß, um wenigstens etwas Brot zu bekommen. Komme ich abends von der Feldarbeit, schlafe ich regelmäßig bei den noch anstehenden Schularbeiten ein. Verständnisvoll schickt mich meine Mutter dennoch ins Bett. Oft schlafe ich weinend ein, da ich schon genau weiß, was mir unerledigte Hausaufgaben beim Lehrer einbringen werden. Mit der Angst im Nacken rackere ich dann noch frühmorgens an den Aufgaben, bevor ich zur Schule hetze. Wenn mir beim Unterricht vor Müdigkeit die Augenlider herunterfallen, feuchte ich sie mit Speichel etwas an. Das klappt bestens, und ich kann mit geröteten Augen der Schulstunde halbwegs folgen.

Wir Hollwegs-Kinder sind keine Mitglieder der gängigen Kirchen, daher sind wir für die Dorfbewohner schon richtige Exoten. Ich erscheine ihnen daher wie ein leibhaftiger »Heidenjunge«.

In der rein protestantisch geprägten, dörflichen Idylle sind der »Herr Pastor« und der »Herr Lehrer« die bestimmenden Persönlichkeiten. Außer Frage steht, daß man ganz selbstverständlich diesen Autoritäten gedanklich zu folgen hat. Daher gehört Religion als sittlich moralische Schulung zu den Pflichtfächern. Schließlich sollen die vorherrschenden Verhältnisse opportunistisch unterstützt wer-

Ein Sinnspruch meines Schwagers Friedrich:
»Lieber Max!
Treu sein und bleiben
für die glückliche Zeit,
nicht wanken und schwanken
in allen Gedanken,
in jedem Gedenken,
im Glauben geweiht!
Treu sein und bleiben für Gott,
unsere Zeit! ...«

den. Da kann ich mich zeitweise gar nicht ausklinken, ob ich will oder nicht.

Eine Heidenangst habe ich vor dem Pastor Bingel. Falls ich einmal einen Liedervers, den wir diszipliniert einzupauken haben, nicht hersagen kann, gibt es als unerbittliche Strafe: ordentliche Schläge mit dem Rietstock auf die Fingerspitzen. Das tut unendlich weh, man kann dies im ersten Augenblick fast nicht ertragen, aber ich reiße mich mit Tränen in den Augen zusammen. Schmerzvoll schwellen die Fingerspitzen an und verfärben sich in den schillerndsten Farben.

Einmal habe ich die Finger zum wiederholten Male hinhalten sollen, aber ich weigere mich und stecke die Hände zum Schutz verschränkt unter meine Achselhöhlen. Um mir mein tägliches Brot zu verdienen, brauche ich meine Hände, er soll sie mir nicht zerschlagen. Aber der Pastor ist so wütend, daß er mit Gewalt an meinen Händen reißt. Dabei trete ich ihm reflexartig so heftig auf die Füße, daß er von mir abläßt. Er empört sich dermaßen, daß ich als Resultat während der nächsten Jahre beim Religionsunterricht immer in einer Ecke stehen muß. Es ist dann zu meinem Glück nicht mehr angesagt, die Liederverse auswendig zu lernen.

Während meiner Schuljahre gibt es noch keine religiösen Versammlungen der »Ernsten Bibelforscher«, wie sie später üblich sind. Mutter besorgt fieberhaft interessiert die neuesten Veröffentlichungen der Wachtturm-Gesellschaft.

Ein Sinnspruch meines Schwagers Friedrich (nach Karl Gerok): »Selig dem Höchsten, Stille zu halten Ihm nur zum Dienste Fromm sich entfalten. Ihm nur zuliebe Duften und glühn, Ihm nur zur Ehre Leise verblühn!«

Während ihrer Hausarbeit habe ich ihr daraus vorzulesen. Dies stärkt unser Vertrauen zu Jehova Gott, unserem himmlischen Vater, und durch das regelmäßige Beten sowie Flehen habe ich das Gefühl, er ist uns immer nahe.

Belastend und problematisch ist es in der Schule. Oft wird von den Klassenkameraden aus Übermut irgend etwas angestellt oder etwas ausdrücklich Verbotenes mißachtet. Für den Lehrer steht ganz selbstverständlich außer Frage, daß für diese bösen Streiche nur die Kinder der »Heiden« verantwortlich sein konnten. Unter Schimpfkanonaden schlägt er uns in aller Regelmäßigkeit grün und blau.

Reisende Älteste
der Wachtturm-Gesellschaft
in den zwanziger Jahren

Im Jahre 1923 wurde das Zweigbüro der
Wachtturm-Gesellschaft von Wuppertal-Elberfeld
nach Magdeburg verlegt.

1924 nahm man die erste Rotationsmaschine
in Betrieb.

**Hoffnungen
auf friedliche
und gerechte
Weltverhältnisse**

Über dem Bett meiner Eltern hängt ein Bild, welches die Beschreibung aus Jesaja 11:6-9 illustriert, wonach Wolf und Lamm friedlich zusammenleben. Ein Panther liegt neben Ziegenböckchen, Kalb und Löwenjunges wachsen gemeinsam auf, und ein kleiner Junge hütet sie. Eine Kuh weidet neben einem Bären, und ihre Jungen spielen miteinander. Ein Löwe frißt, wie das Rind, Gehäckseltes. Ein Baby spielt beim Schlupfloch einer Schlange und steckt sogar die Hand angstfrei hinein. Niemand stiftet Unheil, denn die ganze Erde ist erfüllt von der Erkenntnis über Jehova.

Rufe ich mir dieses Bild in Erinnerung, schöpfe ich auch in ausweglosen Situationen neue Kraft. Meine Vision von einer neuen und gerechten Weltordnung kann ich dadurch lebendig erhalten.

Als ich knapp zwölf Jahre alt bin, reist meine Mutter mit mir nach Koblenz, um dort die interessierte Öffentlichkeit zum »Photo-Drama der Schöpfung« einzuladen. Anna, meine ältere Schwester, ist mit dabei. Wir sind begeistert. Die »Rhein-Mosel-Halle« dient als Veranstaltungsort. Der Saal ist jedesmal zum Bersten gefüllt, so daß die Polizei bei dem Andrang ab einer bestimmten Personenzahl die Türen verschließen muß.

Mit einem Mittagsbrot in der Tasche und reichlich ausgerüstet mit Einladungszetteln und Broschüren machen wir uns vorher auf den Weg in ein zugeteiltes Gebiet, um die Veranstaltungen anzukündigen. Ich ziehe also in Richtung

Koblenz-Karthause ab, allerdings mit dem innigen Wunsch, daß mir am liebsten doch niemand öffnen möge. Etwas Überwindung gehört doch dazu, die erste Tür und vielleicht auch die erste massive Abfuhr hinter sich zu bringen. Nervosität macht sich breit. Auf mein zögerliches Klopfen hin öffnet sich die Tür, und zu meiner Verwunderung werde ich auch noch freundlich hereingebeten. In einer gefüllten Stube diskutieren junge Männer über die aktuellen Tagesereignisse. Solche Erörterungen kenne ich von meinen älteren Brüdern. Ich habe keine Probleme, mit den Männern ins Gespräch zu kommen, sie bedanken sich sogar freundlich und versprechen, zur eingeladenen Veranstaltung zu kommen.

Das ist für den Anfang schon ganz gut. »Was für eine glaubensstärkende Erfahrung«, denke ich gerade noch so und trete wieder auf die Straße. Prompt empfängt mich ein Polizist barsch: »Wo hast du denn deinen Gewerbeschein?« Zitternd stammle ich: »Das tue ich umsonst.« »Unsinn«, entgegnet er, »schließlich mußt du doch essen.« »Aber ja«, zittere ich und deute auf meine verbeulte Hosentasche, »mein Brot habe ich in der Tasche.« Meine Antwort stellt ihn keinesfalls zufrieden. Er schleppt mich mit zur Wache. Dort nimmt mir der Polizist meine Umhängetasche ab, protokolliert den Vorgang und schickt sich an, mich einzusperren. Verängstigt und eingeschüchtert kullern mir die Tränen übers Gesicht. Zeternd bäume ich mich noch auf, aber es hilft mir alles nichts, er läßt sich nicht beeindrucken. Jämmerlich ist mein körperlicher Zustand mit einem Gewicht von annähernd fünfundzwanzig Kilogramm, immerhin bin ich ja nun schon bald dreizehn. Den Polizisten kümmert das nicht. Meine Chancen sind denkbar schlecht.

Nach einiger Zeit schöpfe ich wieder Hoffnung. Ein weiterer Polizist bringt Glaubensbruder Vogel auf das Revier. Bruder Vogel predigt normalerweise als Bibelforscher-Missionar in Holland und hilft uns momentan hier in Koblenz. Wie er es angestellt hat, weiß ich nicht, jedenfalls bekomme ich meine Umhängetasche wieder ausgehändigt, und nach eindringlichem Hinweis, daß wir uns nicht mehr weiter zu betätigen hätten, werden wir entlassen.

Als wir uns zügig auf den Weg machen, schlägt meiner Ansicht nach Bruder Vogel die falsche Richtung ein. Ich denke, die Rhein-Mosel-Halle liegt genau in der entgegengesetzten Richtung, und sage dies Bruder Vogel. »Was willst du denn in der Halle? Da sind wir erst heute abend!« entgegnet er. »Wir müssen in unserem Gebiet einladen. Mach dort weiter, wo du aufgehört hast.«

Gern wäre ich mit Bruder Vogel weitergegangen oder in seiner Nähe geblieben. Aber wer sollte dann die Menschen in meinem Gebiet einladen? Ich denke noch daran, daß der Polizist bestimmt auf mich warten wird und der ganze Kummer von vorn beginnt.

Am anderen Ende des Straßenzuges will ich mit meiner aufgetragenen Tätigkeit fortfahren. Ich komme zu einer größeren Siedlung mit Hochhäusern und denke, wenn ich hier anfange, bin ich erst einmal von der Straße verschwunden, und der vielleicht wartende Polizist wird den kürzeren ziehen müssen. Es sieht so aus, als wären dies Wohnungen von Beamten, die bei der Post oder der Eisenbahn beschäftigt sind. Die Sonne scheint an diesem Tage so angenehm, daß die Männer auf ihre sonst üblichen Jacken verzichten und einfach so hemdsärmelig herumlaufen. Blaue Hosen und die Ziernaht der roten Biesen bekräftigen, daß ich an diesem Ort in Sicherheit bin. Hier läuft mir kein Polizeibeamter über den Weg.

Auf einem Flur wohnen fünf bis sechs Familien. Ganz oben spreche ich mit den ersten Leuten und habe einigermaßen Erfolg. Die oberen beiden Etagen habe ich nun abgearbeitet und komme in die darunter liegende. Auf der Treppe zucke ich fürchterlich zusammen. Zwei Polizisten kommen mir entgegen. Es gibt kein Entrinnen. Zu meiner Verwunderung grüßen sie freundlich und marschieren weiter nach oben, ohne größere Notiz von mir zu nehmen.

Gerade denke ich noch an die guten Erfahrungen, die ich bei den freundlichen Beamtenfamilien der Post und Bahn weiter oben gemacht habe und klopfe gedankenversunken an die nächste Tür. Als die sich einen Spaltbreit öffnet, fährt mir der Schreck meines Lebens in die Knochen. Mein Blick konzentriert sich auf die Garderobe, dort hängt eine komplette Polizeiuniform. Mir läuft es kalt den Rücken hinunter, die ganze Zeit habe ich in einer Polizeisiedlung gearbeitet. Ich spüre den Segen Jehovas, denn meine gesamte Literatur ist verbreitet, und die Menschen haben auch noch versprochen, die Veranstaltung zu besuchen. Am Abend ist es so, daß die Polizei den Saal wegen Überfüllung schließen muß.

Postkartenmotiv
(Photo- und Luftbildverlag
J. Beck, Stuttgart-Bad Cannstatt)

Meine Familie mit einigen Freunden

Das dörfliche Leben und die Arbeit

Nach dem Tod meines Vaters und ohne Verlaß auf seine Hilfe in besonderen Fällen muß ich nun noch lernen, mich bei meinen Mitschülern allein durchzusetzen. Unser Lehrer Henn, der nebenbei als Pianist fungiert und dazu noch in der Kirche Orgel spielt, hat vier Söhne und zwei Töchter. Er steht einer ziemlich lebhaften Familie vor. Mehrmals in der Woche geht Henn abends die zwei Kilometer ins Nachbardorf Miehlen, um Karten zu spielen. So bleibt ihm wenig Zeit, sich um die eigenen Kinder zu kümmern, mit denen man allgemein aber gut auskommt. Sie wissen, daß ich mich mit meinem Gerechtigkeitsempfinden gegen Lügen zur Wehr setze. Bei einer Auseinandersetzung mit ihnen wird Lehrer Henn allerdings Zeuge einer Niederlage, die eines seiner Kinder einstecken muß. Noch vor der Unterrichtsstunde verprügelt Henn seinen Sohn und belehrt ihn eindringlich: »Weißt du,

Unsere Schulklasse mit Lehrer Henn

warum du Prügel bekommen hast? Weil du dich von dem«, dabei deutet er auf mich, »ausgerechnet von dem, hast hinwerfen lassen.«

Die Jahre vergehen, wobei die Freundschaft mit Henns Kindern, trotz Auseinandersetzungen, stetig gewachsen ist. An einem Studium oder an einem bürgerlichen Beruf haben die vier Söhne jedoch kein Interesse, und ihrem deutsch-nationalen Vater ist es auch ganz recht, daß sie sich für zwölf Jahre bei der Reichswehr und späteren Wehrmacht verdingen. Traurigerweise sterben sie letztlich im 2. Weltkrieg für »Führer, Volk und Vaterland«. Die Eltern ereilt der Tod ebenfalls verhältnismäßig früh. Von den Töchtern höre ich nichts mehr.

Ungefähr sechzig Jahre später, im August 1994, bin ich wieder einmal im Dorf. Alle ehemaligen Schulkameraden sind zwischenzeitlich verstorben oder, wie es sarkastisch im gewöhnlichen Sprachgebrauch lautet, »auf dem Felde der Ehre gefallen«. Der älteste Dorfbewohner, der vierundachtzigjährige Otto Weiß, ist zudem noch schwer kriegsversehrt.

Die Schule habe ich nun hinter mir und schufte zweieinhalb Jahre als Lohnarbeiter in der Landwirtschaft. Das ist eine ausgesprochen schöne Zeit, und ich kann in unserem Dorf bleiben. Von Wilhelm Neidhöfer, meinem Brotherrn, werde ich wie ein eigener Sohn behandelt. Die Bäuerin verfährt ebenso. Auf dem Hof sind nur die Familienangehörigen beschäftigt. Wenn wir besonders hart herangenommen werden, verspricht die Bäuerin als Anerkennung: »Dafür bekommt ihr morgen auch Kotelett zu Mittag.« Alle sind gespannt, ob sie ihr Versprechen wirklich hält. Es sieht appetitlich aus, man schneidet ohne Widerstand durch das ganze

Stück, irgendwie ist man schon ein ganz klein wenig irritiert – und ... und das vermeintliche Kotelett entpuppt sich mal wieder als »Kotelett ohne Knochen«, nämlich als Kartoffelpfannkuchen. Trotzdem lassen wir uns von der Bäuerin augenzwinkernd gerne einen Bären aufbinden. Spaßig finden es auch immer die kleineren Kinder der Neidhöfers: »Da hat uns die Mama aber schön reingelegt!« Hildegard ist zu dieser Zeit dreizehn Jahre alt, Mathilde elf, Walter sechs und Herbert vier. Man fühlt sich hier trotz harter Arbeit richtig wohl.

Mit siebzehn Jahren wiege ich nur achtunddreißig Kilo, obwohl mir der Bauer jedesmal das größte Stück Fleisch zukommen läßt. In seiner Gutmütigkeit zahlt er mir den Lohn eines Großknechtes. Bisweilen sorge ich mich, ob ich auch das verdiene, was ich als Entlohnung bekomme. Die körperlichen Relationen werden deutlich, wenn ich sehe, wie groß und stark seine Kinder gebaut sind. Hildegard bringt sechzig Kilogramm auf die Waage und Walter dreiundvierzig. Mein lächerliches Gewicht finden sie immer zum Schreien komisch. Wenigstens unterstützt mich ihre Mutter, wenn wir uns gegenseitig auf die Schippe nehmen.

Beim Anschirren unseres Fuchses, einem schweren Belgier, muß ich bei meiner noch nicht ganz ausgewachsenen Körperstatur einen Schemel nehmen, um den Halfter festzuzurren. Dem Pferd bin ich irgendwie nicht gewachsen, es hat mich von Anfang an nicht für voll genommen. Aber wenn der Bauer dabei steht, hört es aufs Wort.

An einem Nachmittag soll ich mit dem Fuchs ein kleines Stück Ackerland pflügen. Wir haben eine halbe Stunde Weg und eine Arbeit für ein bis eineinhalb Stunden. Der Fuchs hat natürlich keine Lust, meine guten Worte helfen nichts. Selbst Schimpftiraden, Schläge, auch mein akrobatisches Hinundhergespringe beeindrucken das dickschädelige Tier kaum. Ich schaffe es dennoch, den Fuchs in die Furche zu stellen, dann fällt der Pflug um, und schon wieder trampelt das Tier auf das bereits Gepflügte. Das Pferd hält mich zum Narren. Weit und breit ist niemand zu sehen, der mir helfen könnte.

Die Furche fällt so krumm aus, daß man sich schämen muß. Wenn jemand so etwas zu Gesicht bekommt, wird der Bauer im ganzen Dorf verspottet. Inzwischen dunkelt es, ich weiß einfach nicht weiter, setze mich hin und weine. Dies erweicht das glotzende Tier auch nicht. Es bleibt mir nichts anderes übrig, als abzuspannen und mich von dem stolzen Fuchs nach Hause tragen zu lassen. Alle warten schon auf mich. »Bist du fertig?« fragt der Bauer gespannt. Meine klägliche, dahingehauchte Antwort: »Ich ja, aber der Acker noch nicht!« Bevor er losschimpfen kann, fahre ich fort: »Sie müssen morgen früh unbedingt um sechs auf dem Acker sein und die Furchen begradigen, bevor andere sehen, was für eine Arbeit ich hinterlassen habe.« »So siehst du aus«, entgegnet er mürrisch. »Ich werde nicht eine Stunde früher aufstehen.« »Dann bleibe ich nicht bei Ihnen«, stammle ich beschämt, »dann laufe ich davon.« Er läßt sich halbwegs erweichen und lenkt ein, da er spürt, wie peinlich mir das Ganze ist. Nach meinem Versprechen, um halbfünf aufzustehen, das Pferd zu füttern und anzuschirren, falle ich erschlagen ins Bett. Selbstredend stehe ich am nächsten Morgen pünktlich vor dem Fuchs.

Der Bauer kommt Stunden später ins Haus. »Nicht wahr, Max, neben der Rutsche gibt es die beste Frucht«, treibt er da seinen Spott mit mir, um nochmals auf die gestrige Abfuhr, die ich vom Pferd bekommen hatte, anzuspielen. Es soll noch verhängnisvoller werden: »Heute mittag pflügst du den Acker hier beim Dorf, ich gehe mit.«

Was auf mich einprasseln soll, ahne ich schon halbwegs, aber es ist nicht zu ändern. Diese gewisse Vorahnung hat offensichtlich auch das ausgefuchste Pferd, lammfromm folgt es plötzlich meinen Anweisungen. »Nun ja, es klappt doch«, sagt der Bauer. »Ich gehe jetzt nach Hause.«

Mir wird klar, daß das Pferd seinen Schabernack mit mir weitertreiben will, und ich bettle darum, daß der Bauer hierbleiben und sich hinter dem Apfelbaum verstecken solle. »Der Fuchs ist doch kein Augendiener«, spottet er noch, aber er kauert sich hinter dem Baum nieder und beobachtet das kommende Schauspiel.

Die erste Furche sieht noch einwandfrei aus. Plötzlich legt der Fuchs nicht nur eine längere Pause ein, sondern reibt seine juckenden Fersen und zieht an den Ketten seiner Hinterhand so lange, bis er den vorderen und hinteren Pflug auf einem Haufen ineinander verkeilt hat. Nun ist für den Bauern alles klar, er springt schimpfend aus seinem Versteck hervor. Mit dem dicken Ackerstock, den ich schon vor ihm erfolglos geschwungen hatte, bezieht der Fuchs eine gründliche Tracht Prügel auf die Hinterbacken. Genau so hätte ich draufschlagen sollen, tadelt mich der Bauer. Das wie ein Ölgötze erstarrte Tier wird dermaßen heftig attackiert, daß ich es sogar mit der Angst bekomme. Das arme Tier tut mir aufrichtig leid. In der Folge hat diese Erfahrung das Pferd und mich richtig zusammengeschweißt. Den Ackerstock habe ich nie mehr gebraucht.

Sonntags morgens, wenn die anderen in die Kirche gehen, nimmt mich der Bauer oft mit ins Feld. Große Flächen säen wir im Breitwurf von Hand, mit einem Wurf über drei Finger: Leinsamen, Raps, Ölsaat und Klee. Weniger pingelig säen wir Roggen, Weizen und Gerste aus.

Richtig stolz ist man, wenn alles gut und gleichmäßig aufgeht und der Bauer einen aufrichtig lobt. Neben dem großzügigen Lohn genieße ich die Privilegien einer familiären Gemeinschaft. Zu allen Familienfestlichkeiten bin ich eingeladen.

Die Aufteilung der Rollen, die Familienmitglieder in diesem Verbund zu spielen haben, ist in dieser Dorfgemeinschaft ganz kraß ausgeprägt. Die Mädchen haben ihren späteren Tätigkeitsbereich einzuüben, beispielsweise Kuchen backen und kunstvolle Torten mit Cremes und Schokoladenstreuseln herrichten. Tildchen, wie wir Mathilde nennen, bringt mir probeweise schon immer etwas vorab. Durch Tildchens edle Gesinnung und durch ihren gütigen Charakter fühle ich mich angezogen und empfinde eine immer stärker werdende Wertschätzung und Zuneigung. Pausenlos kreisen meine Gedanken um Tildchen, so daß mich ein heftiger Liebeskummer plagt. Aber ich hüte ihr gegenüber eisern mein Geheimnis. Habe ich ein Recht dazu, in diesem System, zu dieser Zeit, meine Träume zu verwirklichen?

Ab und an verreisen Bauer und Bäuerin schon mal, dann habe ich Haus und Hof zu versorgen und mich um die Kinder zu kümmern. Trotz der schönen Zeit, die ich in der Landwirtschaft verlebe, scheint mir das keine vernünftige Perspektive für die Zukunft zu sein. Ich brauche eine Berufsausbildung und kündige mein Arbeitsverhältnis.

Für den Bauern Neidhöfer ist schon klar, die Beschäftigung bei ihm kann nur ein Übergang für mich sein, er meint: »Ich lasse dich allerdings erst gehen, wenn du eine Lehrstelle hast.« »Aber wenn ich eine Lehre während des Heumachens finde?« sind meine Bedenken. Heumachen ist die körperlich härteste Arbeit in Marienfels, und ich will ihn dann nicht im Stich lassen. Wenn der Tau auf den Wiesen liegt, wird nachts gemäht. Es gibt zwar eine vom Pferd gezogene Mähmaschine, aber die nassen Wiesen muß man von Hand mit der Sense mähen. Jeweils einen Tag vor dem Schneiden geht der Gemeindediener mit einer Glocke durch das Dorf und eröffnet einen Wiesengrund nach dem anderen.

Die Geräusche des Tengelns der Sensen schallen bis in die späten Nachtstunden durch den ganzen Landstrich. So wie man sich an Bilder und Situationen erinnert, die vor sehr langer Zeit passiert sind, habe ich noch heute die charakteristischen Geräusche des Schärfens der Sensen im Ohr und den frischen Duft der Gräser in der Nase.

Frühmorgens gegen drei, vier stehe ich mit den Landarbeitern in Reih und Glied. Die Situation ähnelt einem Wettbewerb. Es ist nicht gerade ehrenhaft, wenn man vom schnelleren Hintermann aus der Reihe gedrängt wird. Die Erfahrenen wollen gerne ihre Stärken ausspielen.

Relativ schnell bekomme ich eine Lehrstelle als Maurer. Ich soll umgehend im sieben Kilometer entfernten Nastätten antreten. Es tut mir nur leid um den Landwirt Neidhöfer. Seine gesamte Familie muß jetzt feste zupacken. Für die schwere Arbeit nimmt man jeweils Tagelöhner.

Gerne würde ich meiner Bauernfamilie aushelfen, aber in den drei kommenden Lehrjahren gibt es kaum einen freien Tag. Mein Lehrherr betreibt zusätzlich noch etwas Landwirtschaft, darum habe ich mich vor und nach der regulären Arbeit zu kümmern. Hier beim Bauunternehmer Hehner bin ich sozusagen »in Kost und Logis«. Für meine doppelte Arbeit bekomme ich 50 Pfennig Taschengeld pro Woche, aber auch nur dann, wenn wir auf Baustellen Arbeit finden. Meine Mahlzeiten muß ich allein in der Küche einnehmen. Drei Jahre besteht mein Abendessen meist aus Pellkartoffeln mit

Quark und ein paar Tassen gebranntem Roggenkaffee, schwarz, versteht sich. Wie hatte ich den Familienanschluß doch bei Neidhöfers genossen! Damit war es nun fast aus. Samstags, ehe ich zur Mutter eile, schaue ich noch schnell bei Neidhöfers rein. Beim Anblick der leckeren Kuchen und Torten läuft mir das Wasser im Mund zusammen. Bevor es montags nach Nastätten zurückgeht, flitze ich noch kurz bei Neidhöfers vorbei, um sie zu fragen, ob sie aus der Stadt Besorgungen nötig hätten.

Meist bin ich ein braves Kind gewesen, sagte man so, aber zum Erwachsenwerden gehört es einfach, hin und wieder mit anderen einen kleinen Schabernack zu treiben. Man kann die Grenzen zwischen guten und bösen Scherzen selbst oft nicht richtig ausloten.

Arbeitskameraden tragen mir einen tollen Streich an. Mit einer Stecknadel, die man direkt an die Scheibe in den Fensterkitt drückt, und einem langen Zwirnsfaden, den man an diese Nadel bindet, könne man dann, von einem Versteck aus, mittels Kolophonium schrille, ja beängstigende Töne erzeugen. Der sich im Innenraum Aufhaltende könne auch nicht orten, woher die Musik kommt.

An einem Sonntagabend setze ich den Klamauk in die Tat um. Erst werden noch schnell die Tiere gefüttert, und unauffällig verschwinde ich, eine Unschuldsmiene auflegend, ins Kinderzimmer, drücke die Nadel außen in den Kitt dicht an die Scheibe, und ... der Streich beginnt.

Inzwischen ist es dunkel, das Licht ausgelöscht, und die Kinder sind ahnungslos im Bett eingenickt. Ich lege los, erst zart, wie ein Geigenvirtuose, dann fordernd. Es dauert nicht lange, und das Licht blinkt im Zimmer auf. Die sich auf der Übergardine abzeichnenden fragenden Bewegungen der Kinder bieten sich mir wie ein witziges Schattentheater dar.

Die Situation im Zimmer beruhigt sich, nachdem die Kinder nichts entdecken können. Erneut legen sie sich schlafen. Prompt streiche ich wieder über den stramm gespannten Zwirnsfaden. Die Kinder springen wieder auf, legen sich nach einer Weile aber wieder ins Bett und … Das ganze Spiel wiederhole ich einige Male.

Aber dann bemerken die Eltern die Unruhe im Haus. Von meinen Ouvertüren hatten sie selbst nichts hören können. Herr Neidhöfer durchkämmt Raum für Raum nach einer vermeintlich miauenden Katze.

Für mich wird die Lage heikel, als er die Sturmlaterne anzündet und sich anschickt, den ganzen Hof von oben bis unten abzusuchen. Im letzten Moment kann ich entkommen und hetze nach Hause.

Am Montagmorgen, die Kinder schlafen noch, springe ich noch bei Neidhöfers herein: »Wiedersehen. Ich hab's eilig.« »Das kann ich mir vorstellen. Du kommst sofort hierher!« befiehlt Frau Neidhöfer. Sie sitzt melkend bei den Kühen und hat mein gestriges Spiel voll durchschaut: »Schau mich mal an.« Ihre prüfenden Augen haben Gewißheit. »So, jetzt kannst du gehen.«

Mit gemischten Gefühlen betrete ich dann am Wochenende, zur üblichen Kuchen- und Tortenzeit, die Küche. Schon als ich die Nase zur Türe hineinstecke, bricht ein gewaltiger Sturm los. Hilde faßt in meinen Haarschopf, Tildchen greift meine Füße, und schon liege ich platt vor ihnen. Die Falle ist perfekt zugeschnappt.

Das Haus der Familie Neidhöfer – Aufnahme aus dem Jahre 1951

Glück im Unglück habe ich, da durch mein lautes Geplärre ihre Mutter im Stall aufgeschreckt wird, alles stehen- und liegenläßt und mir behende zu Hilfe kommt. An diesem Abend bleibt mir der leckerste Kuchen im Halse stecken.

Sonntagmorgen – auf dem Weg ins Dorf, habe ich Neidhöfers Haus nicht eines Blickes gewürdigt. Auf dem Rückweg verstellen mir die Kinder den Weg und bitten mich, doch hereinzukommen. Aber ich ermahne mich zur Vorsicht. Dem Bauern ist nicht zu trauen, auch wenn ich mir nicht vorstellen kann, die Prügel zu beziehen, die seinerzeit der Fuchs bezogen hatte. Ein paar Ohrfeigen liegen sicherlich aber doch noch drin. Mit ernster Miene spricht Neidhöfer ein Machtwort mit mir, plötzlich hellen sich die Gesichtszüge auf, und er fährt mich freundlich an: »Nun mach schon, daß du reinkommst.«

Nun höre ich, daß die Kinder an dem besagten Abend vor lauter Angst kaum einschlafen konnten. Man habe Zuflucht im Bett der Eltern gesucht und habe in der Nacht kaum ein Auge zugetan. Da bin ich mit meiner kleinen Bestrafung ja noch bestens weggekommen. Meine förmliche Entschuldigung nimmt die Familie mit Humor, und unser altes Verhältnis scheint wieder ungetrübt.

Motiv aus der Gesellenzeit

Die geringe Freizeit nutze ich, um die Fachzeichenschule zu besuchen und auch, um mich im Bibelstudium zu stärken und die Wachtturm-Studienhilfsmittel zu nutzen. Prinzipien für sich selbst durchzuhalten fällt nicht immer leicht, zumal man das lockere Leben der Maurerzunft sieht. Ein Umtrunk ist an und für sich immer angesagt: Grundsteinlegung, Richtfest, Bestimmungsübergabe ... In dieser rauhen Umgebung sind die maßgeblichen Schlagworte: »Bist du nicht willig, so brauch' ich Gewalt.« Gut, daß meine

Familienbild – zirka 1926

flinken Beine in gefahrvollen Situationen nur ein Fliegengewicht von annähernd fünfundvierzig Kilogramm befördern müssen.

Sehr viel Nutzen, gesundheitlicher, allgemeinbildender und naturverbindender Art, bietet für meine angestrebte Lebensweise die Lektüre der Zeitschrift »Das Goldene Zeitalter«. In der Lehrzeit habe ich regelmäßig Verbindungen zu religiösen Versammlungen der »Ernsten Bibelforscher« in Reichenberg. Man hat einen Fußweg von vier Stunden zurückzulegen. Unser Versammlungsdiener (ein reifer Christ, der die Leitung innehat) ist Bruder Jänisch aus Koblenz. Dann sind da noch die Familien Langner und Spriestersbach. Aus Niederlahnstein kommt die Familie Decker.

Postkartenmotiv
von Nastätten im Taunus
(Korr's Großverlag,
Schwalbach, Ts.),
zirka 1955

Gesellenbrief

Handschriftliches Zeugnis meines
Lehrherrn Conrad Hehner:
»... war anständig, fleißig und
lernbegierig, weshalb ich denselben
jedem meiner Herren Kollegen
aufs beste empfehlen kann.«

Wie kann ich meinem Gott wohlgefallen?

In mir reift der Entschluß, mich Jehova hinzugeben und ihm mit allem, was ich anzubieten habe, zu dienen. Meine Hingabe symbolisiere ich im Juli 1930 durch die Taufe. Jehova, mein Gott ist nun auch in übertragenem Sinne mein Vater geworden, und ich empfinde mich als sein Sohn. Wie kann ich ihm wohlgefallen? Nur dadurch, daß ich seinen Willen tue.

Wenn ich das kurze Leben seines einziggezeugten geliebten Sohnes, Jesus Christus, betrachte und dessen Wandel hier auf der Erde, dann weiß ich eine ganze Menge darüber, was mir Jehovas Wohlgefallen einbringen kann; mich eng an das Vorbild seines Sohnes zu halten und in allen wichtigen Entscheidungen mir selbst die Fragen zu stellen: Wie würde Jesus entscheiden? Dies sind geeignete Methoden, meinen Glauben zu bekunden. Den Predigtdienst am Wochenende habe ich als guten Anfang gesehen, aber das reicht mir nicht. Als Ziel fasse ich nun den Vollzeitdienst ins Auge, der ein ganztägiges Engagement beim Predigen der guten Botschaft erfordert.

Beruflich hervorragende Angebote bekomme ich nach der Gesellenprüfung und einem guten Abschluß der Zeichenschule. Ein großer Bauunternehmer sucht mich sogar als zukünftigen Schwiegersohn aus. Eine kleine Bedingung wäre allerdings – ich müßte zur katholischen Kirche konvertieren. Eine weitere Partie will man mir zuschanzen: die hübsche Tochter eines Dorfrechners. Die Bedenken gegen den Heidenjungen schmilzen wie Wachs in der Sonne.

Samstags abends spiele ich oft den Friseur bei den Männern in der Nachbarschaft. Man erwartet einen adretten klassischen Haarschnitt und eine tadellose Rasur.

Ein aufrichtiger und solider Junge, der Vollwaise ist, lebt in unserem Dorf. Sein Name ist Rudolf Bauer. Er ist bei seinem Onkel in der Landwirtschaft beschäftigt und wohnt auch bei ihm. Ursprünglich stammt er aus dem zehn Kilometer entfernten Hinterwald. Die Maikirmes in seinem Dorf ist immer das besondere Ereignis. Rudolf animiert mich mitzugehen, und es wird ein gemütlicher Tanzabend. Zum guten Ton gehört es, seine Tanzpartnerin nach Hause zu begleiten. Viel Zeit bleibt mir nicht, denn ich habe meiner

Mutter versprochen, abends pünktlich gegen halb zwölf wieder im Haus zu sein. Mutter wartete jedesmal, sie ging nicht zu Bett, bevor ich wieder zu Hause war.

In dieser Zeit ist es üblich, daß man der jeweiligen Dorfjugend ein Bier zu spendieren hat, wenn man ein Mädchen aus deren Reihen kennenlernt. Daran habe ich in der euphorischen Stimmung schlichtweg nicht gedacht, und mir fehlt auch das nötige Geld.

Lina, so heißt die besagte Herzensfreundin, schreibt mir nun einige nette Zeilen und lädt mich zu Pfingsten ein. Rudolf will diesmal zum Tanzen in ein anderes Dorf fahren, freut sich aber, daß ihm wenigstens für den halben Weg ein Begleiter erhalten bleibt. Auf dem Heimweg wollen wir uns dann an einem verabredeten Punkt treffen und gemeinsam zurückfahren. Wir werfen uns in Schale. Mein neuer Anzug und die neuen Halbschuhe machen schon etwas her. Nachdem ich Mutter versichert habe, pünktlich wieder zurückzukommen, schwingen wir uns aufs Rad. Alsdann radelt Rudolf zu seinem Dorf und ich in die andere Richtung. Kurz vor meinem Ziel kommen mir schon heftig schwingend einige Dorfschönheiten in ihren Festkleidern entgegen. Lina ruft mir aufgeregt zu: »Du kannst nicht ins Dorf. Die Jungen wollen dich verprügeln.« Sie bewegen mich, mit ihnen die Gastwirtschaft im Nachbardorf aufzusuchen. Keine Viertelstunde vergeht. Plötzlich stehen zirka dreißig kräftige Burschen vor uns. Mit grimmigen Gesichtern setzen sie sich erst in eine

Ecke und verharren dort. Anscheinend sind sie sich noch nicht über eine schlüssige Strategie einig.

Halb scherzend mit einem Kloß im Halse, versuche ich die Spannung zu entschärfen. Aber uns wird langsam immer ungemütlicher. Mir kommt mein Versprechen in den Sinn, wieder pünktlich zu Hause sein zu wollen. Noch bin ich sicher. Vorsorglich setzt Lina meinen Hut auf, um wenigstens etwas von mir zu retten, und geht mit den anderen Mädchen vor die Gastwirtschaft. Zügig tue ich so, als würde ich zur Toilette gehen wollen, und schwups bin ich ebenfalls draußen. Für den ersten Moment scheint die Gefahr gebannt. Mit der Angst im Nacken und unter ständigem Umschauen kommen wir sicher in Linas Dorf an. Ich atme tief durch und schicke mich an, die Rückreise anzutreten. Plötzlich verstellen mir drei Schlägertypen den Weg. Aber Lina kreuzt auch wieder auf und schreit so Mark und Bein erschütternd, daß ich mich in Sicherheit bringen kann.

In der Dunkelheit schnaufe ich auf meinem Rad langsam bergan und denke an nichts Böses, als mir die drei auflauern. Ich lasse das Zweirad fallen, baue mich wie ein Trophäenjäger, allerdings verzweifelnd, darauf auf und schreie ganz wild: »Ihr zwingt mich zur Notwehr. Drei Meter zurück oder ich schieße!« Sie können nicht erkennen, daß ich nur ein Taschentuch statt einer Pistole in der Hand halte, und weichen glücklicherweise zurück.

Aber ich bin noch lange nicht zu Hause. Es kommt noch schlimmer. Rudolf hatte mir eine Abkürzung beschrieben, die sich jedoch als unbefestigte Waldschneise erweist. Alles noch nicht so tragisch, aber es ist außerdem so dunkel, daß ich kaum etwas sehe. Manchmal gibt der Mond einige Ausschnitte halbwegs zur Orientierung frei. Plötzlich stockt das olle Fahrrad, als würde es jemand gewaltsam anhalten – ich hänge in einem Lehmbruch fest. Jetzt gilt es, vorsichtig mit meinen schönen neuen Schuhen abzusteigen – aber ich habe keine Chance, stehe nun schon bis zu den Waden in diesem scheußlichen Dreck. Mit einer Hand versuche ich die Hosenbeine in die Höhe zu halten, mit der anderen suche ich im Untergrund nach festem Halt. Knall auf Fall verliere ich vollends den Boden unter den Füßen und schlage bis zu den Ellbogen in die matschige Masse – »mein edler, neuer Anzug«, zuckt es noch durch meinen Sinn.

Nachdem meine neuen Sachen das Schlammbad ausgiebig »genossen« haben, lege ich mein Rad frei und wische mir notdürftig die Hände sauber. Zu Fuß setze ich meine klägliche Reise fort. Als ich wieder festen Boden spüre, ist der Lehm angetrocknet. Meine Jackenärmel glänzen bei Nacht wie die der Galauniform eines Fregattenkapitäns.

Auf Rudolf brauche ich wohl nicht mehr zu warten, der schlummert sicher schon in seinem Bett. Mutter wird das erste Mal von mir enttäuscht sein. Statt halb zwölf ist es nun halb zwei. Zu Hause angekommen, klopfe ich zaghaft ans kleine Fenster. Stumm öffnet sich die Eingangstür. Kein Gruß, keine Frage. Mutter schließt hinter mir ab und geht zu Bett. Sie würdigt mich keines Blickes.

Erst am frühen Morgen kann ich einschlafen. Mir wäre eine ordentliche Standpauke lieber gewesen. Montagmorgen soll ich auf einer Baustelle in der Nachbarschaft arbeiten. Zum Frühstück hat mir Mutter trotz des nächtlichen Vorfalls das übliche Morgenbrot und warmen Kaffee zubereitet. Ich denke, ich habe wirklich eine treusorgende, liebe Mutter. Sie hegt keinen Groll, kennt kein Nachtragen und kümmert sich fürsorglich um die Familie. Dies spornt mich zu großer Hochachtung und zu liebender Zuneigung an.

Ich bin schon einige Stunden bei der Arbeit, als Mutter die verhunzten Pantinen auffallen: »Wem gehören denn die schmutzigen Schuhe?« Ohne eine Antwort zu erwarten und näher wahrzunehmen, daß es mein Schuhwerk ist, ergänzt sie zügig für sich: »Wahrscheinlich dem Erwin.«

Bei zeitweise insgesamt sieben Jungen, wobei Moritz jetzt schon nicht mehr bei uns wohnt und Vater und Otto traurigerweise gestorben sind, muß Mutter ein strenges Regiment führen. An einem bestimmten Platz hat sie einen Peitschenstock, um bei Ungezogenheiten unsererseits ihrer Forderung den nötigen Nachdruck zu verleihen. Niemand von uns hätte es gewagt, dagegen zu meutern.

Nach dem Aufstehen kommt mein Bruder Erwin, der erwerbslos ist, während einer Frühstückspause, auf die Baustelle und fragt mich im Remscheider Dialekt: »Wem gehören die schmutzigen Schuhe? Ich habe meine Schläge weg. Komm du nur zum Mittagessen, dann bekommst du sie.«

Mittags traue ich mich kaum heim. Mutter steht in strenger Positur, die Hände auf dem Rücken, die Peitsche fest umklammernd und ruft: »Komm rein! Ich will dir helfen zu lügen.« Hinter ihr steht Erwin und amüsiert sich spöttisch. Die Chancen sind für mich äußerst schlecht, und auf den Trick mit dem Taschentuch fällt am hellichten Tag niemand herein. Ich kann nur Friedensgespräche anbieten und bekenne meine Schuld. Es tut mir leid, daß Mutter die Nacht warten mußte, daß Erwin die Schläge abbekommen hat und ... Ich habe nur die Bitte, daß sie sich vor dem Strafvollzug die näheren Umstände anhören.

Die Front weicht auf. Erwin bittet Mutter, den Stock beiseite zu legen, und sagt, zu mir gewandt: »Komm rein!« Meine Geschichten muß ich nun ausführlich zum besten geben. Ernst durchdringen mich ihre Blicke, doch dann rutscht Mutter vor Lachen vom Stuhl, und Erwin staunt noch ungläubig: »Wenn der Lehm an den Schuhen es nicht bezeugte, hätte ich gedacht, du hast uns einen Roman erzählt.«

Mutter verspreche ich, sie nicht mehr über die Maßen warten zu lassen. Liebe, eine der göttlichen Eigenschaften, zeigt sich hier in einem praktischen Zusammenhang vorbildlich und macht mich zu einer reiferen Persönlichkeit. Lina schreibe ich einen tröstenden, aber, wie ich denke, erbaulichen Abschiedsbrief.

Spöttisch heißt es im Volksmund: »Tugend ist ein Mangel an Gelegenheit«. Meine Erfahrung geht eher in die Richtung: »Tugend ist der Kampf gegen Untugend«. Allezeit kann ich den Rat der biblischen Veröffentlichungen der Wachtturm-Gesellschaft nützlich umsetzen. Unauffällig kann ich ein Taschenbuch, eine Broschüre oder ein Traktat, einen Artikel der Publikationen »Das Goldene Zeitalter«, später »Erwachet«, oder den »Wachtturm« bei mir haben. Eine Waffe in Form eines Taschentuches habe ich nie wieder gebraucht. Wenn es beim Händchenhalten nicht bleiben will, ist immer ein biblischer Grundsatz oder Gedanke angezeigt und wirkungsvoll umzusetzen.

Die NSDAP ist sehr erfolgreich und gewinnt immer mehr Einfluß. In den kleinen Dörfern und Städten wird die Situation im öffentlichen Predigtdienst immer schwieriger. Bruder Jänisch und mich greift man in Patersberg tätlich an und jagt uns aus dem Dorf.

Eins meiner Ziele ist es, mich neutral zu verhalten, aber hier in Marienfels versucht man, mir zu schmeicheln und bietet mir einen attraktiven politischen Posten an.

Dem pensionierten Pastor Bingel folgt ein neuer Pastor der protestantischen Strömung »Deutsche Christen«. Ich will mich mit ihm über die biblische Wahrheit unterhalten. Der Sohn des Lehrers ist gerade zu Besuch bei ihm und gibt ihm den Rat: »Mach den Hund los.« Schnell ketten sie den bissigen Schäferhund ab. Gerade noch so eben schlage ich das Hofgitter hinter mir zu. Das Tier hätte mich vermutlich ziemlich übel zugerichtet.

Meine Familie mit einigen Freunden

Prägende Erfahrungen in der »Goldenen Stadt« Prag

Im Jahre 1931 bewerbe ich mich für den Vollzeitpredigtdienst der Internationalen Bibelforscher-Vereinigung, für eine Tätigkeit im In- oder Ausland. Die Antwort ist positiv. Ich soll mich bei der Pionierstation in Prag, Narodmi-Crida 24 melden. Das Heim wird von Bruder Kopecky geleitet. Bruder und Schwester Weizdörfer führen den Haushalt. Als ich von beiden empfangen werde, gesellt sich Bruder Karl Kirsch, ein Berliner, mit rümpfender Nase dazu: »Jetzt schicken sie uns schon Schulkinder.«

Man gibt mir wegen meiner Statur noch an diesem Abend den Spitznamen »Bubi«. Wir Menschen von unterschiedlichster Herkunft bilden von nun an für einige Zeit eine Familie. Eine weibliche und zwölf männliche Personen, also wie wir es als Bibelforscher bezeichnen, eine Schwester und zwölf Brüder: Kopecky, Knauer, Kirsch, Barner, Conde, Helle, Vetim, Huf, Rohde, Riffel, die beiden Weizdörfer und meine Person.

Die anderen erwarten von mir als dem jüngsten Mitglied, als »Bubi«, eine bestimmte Rolle, die ich gewissenhaft ausfülle. Prag steht in dieser Zeit in einer multikulturellen Blüte. In äußerst kurzer Zeit haben wir einen ansehnlichen Leserstamm der Zeitschriften »Das Goldene Zeitalter« und »Wachtturm«. Ich leiste meinen selbstgewählten Pionierdienst und bin für die Zeitschriftenversorgung verantwortlich. Zu Anfang ist unsere Versammlung noch relativ klein, und ich muß die Brüder einteilen, die die Leser in den einzelnen Stadtteilen bedienen. Wir haben interessierte Leser für folgende Sprachen: Tschechisch, Deutsch, Englisch, Französisch und Spanisch.

Nach einiger Zeit vertraut man mir das von unserer Station zwei Minuten entfernt liegende Literaturlager an. Hier geht es hauptsächlich um den Versand nach: Ungarn, Rumänien und Jugoslawien. Dort arbeiten vorwiegend deutsche Brüder als Vollzeitverkündiger, Pioniere genannt. Ich denke an die Glaubensbrüder Wilke und Pötzinger, auch an die Entbehrungen, die sie auf sich nehmen. Meistens sind sie mit Fahrrädern unterwegs. Zu ihrem kargen Leben gehört es, wenn sich keine anderen Möglichkeiten auftun, zeitweise in Heuschobern zu übernachten.

Rückbesuche, bei denen interessierte Personen wiederholt aufgesucht werden, oder Heimbibelstudien sind in dieser Zeit noch nicht üblich. Freitags abends führen wir die Dienstversammlung durch, bei der dann der Predigtdienst für den kommenden Sonntag organisiert wird.

Wir fahren bis zu den Endstationen der Straßenbahn, und zu Fuß geht es in die Vororte. Oft führe ich die Jüngsten an. Motivieren lassen wir uns durch die mitreißende Musik unseres Liederbuches, die ein Bruder mit der Mundharmonika unterlegt. So kommen wir begeistert im Gebiet an. Nach getaner Arbeit und bei Sommerwetter springen wir in die abkühlenden Fluten der Moldau. Für den späten Nachmittag haben uns die tschechischen Brüder zu Kaffee und Buchteln eingeladen. Die Zeiten in der brüderlichen Gemeinschaft empfinden wir als Segen. Sie lassen uns die oft harten Konfrontationen mit der von der Geistlichkeit aufgehetzten Bevölkerung vergessen. Es gibt leider auch unter uns Kummer aus nicht erwiderter Zuneigung und verschmähter Liebe. Für mich ist eine Partnerschaft in dieser Zeit nicht das Ziel. Andere aus meinem Bekanntenkreis finden das Glück in einer gottgefälligen Eheverbindung und strahlen Zufriedenheit aus.

Zu meinen jugendlichen Freunden gehören die Brüder Karl und Bohumil Müller. Sie sind furchtlose Streiter vor dem Herrn. Bohumil trägt während der darauf folgenden Zeit größere Verantwortung für das Verkündigungswerk. Für ihn wird jedoch die Befreiung von der Diktatur zu spät kommen. Nur die göttliche Verheißung beruhigt diesbezüglich mein Denken – er wird nach dem endgültigen Sieg Jesu Christi, seines dringend erwarteten Königs, wieder Leben erlangen.

Immer wieder verspüre ich die Hilfe Jehovas, der mich an diese Stelle gestellt hat. Zur Zeit hege ich eher den Wunsch, als Alleinstehender im Vollzeitdienst zu bleiben, als eine feste Bindung mit deren Sorgen einzugehen. Aber der physische Ablauf meiner Körperfunktionen irritiert mich und bringt mich in große Verlegenheit. Dies sind Dinge, die einfach in dieser Generation nicht angesprochen werden, oder es gibt einige vage, versteckte Andeutungen. Man weiß nur diffus etwas über den eigenen Körper. Schon eine komische Situation. Ein unfreiwilliger Samenabgang wird auf meiner Bettwäsche sichtbar, dies bleibt nicht verborgen, und ich schäme mich dafür. So soll ich eines Abends bei Bruder

Weizdörfer antreten. Ich fühle mich äußerst unwohl, aber er versteht es, mir Sicherheit zu geben. Er klärt mich über die körperlichen Vorgänge meisterhaft auf. Sein väterliches, liebevolles Einfühlungsvermögen vergesse ich nicht.

Der tägliche Missionsdienst stärkt meinen Glauben und macht sehr viel Freude. Nebenbei bekomme ich reguläre Arbeitsangebote, da wir auch viel bei Geschäftsleuten vorsprechen. Einmal nimmt mir ein Textilkaufmann einen Siebenersatz Literatur ab. Die Titel lauten: »Schöpfung«, »Befreiung«, »Versöhnung«, »Prophezeiung«, »Regierung« sowie »Licht, Band I + II«. Diese Erfahrung spornt mich an. Eifrig setze ich meinen Dienst auf der Parallelstraße fort, übersehe dabei jedoch, daß ich von der Rückseite dasselbe Ladenlokal noch einmal betrete. Ich entschuldige mich und will wieder gehen. Da ruft eine Frauenstimme hinter mir her: »Halten Sie den Mann fest!« Angestellte versperren die Tür, bis die Dame zu mir eilt: »Kommen Sie bitte mit!« Zögernd folge ich ihr ohne schlechtes Gewissen. Im Büro soll ich ihr Rede und Antwort stehen, denn sie ist verblüfft: »Wie haben Sie meinem Mann die sieben Bücher verkauft?« Mein Argument daraufhin: »Ganz einfach, indem ich ihn überzeugte, daß auch ein Geschäftsmann wissen sollte, was nach der biblischer Prophezeiung die nahe Zukunft bringen wird.«

Sie macht mir ein sich phantastisch anhörendes Angebot. In einem deutschsprachigen Bezirk solle ich Verkäufer in Textilgeschäften zwecks Verkaufsförderungsmaßnahmen spezifisch schulen. Meine Ausbildungskosten übernähme ihr

Unternehmen ebenso wie die Kosten für einen Führerschein samt Auto. Aber dankbar ablehnend, habe ich ihr ein gutes Zeugnis geben können, und ihr gesagt, was mir das Gelübde Jehova gegenüber, dem die ganze Erde gehört, bedeutet.

Ähnliche Erfahrungen mache ich des öfteren. Eine andere Episode habe ich mit Rudolf Passer, einem Redakteur des »Prager Tageblatt«, erlebt. Passer liest unsere Zeitschriften nur, wenn er sie persönlich aus meiner Hand entgegennimmt. Sein bester Freund ist der in Berlin wohnende Hellseher Hanuschen, den die Nationalsozialisten 1933 ermorden, weil er die Regentschaft des Adolf Hitler für nur zwölf Jahre vorausgesagt hat.

Rudolf Passer will mich als Werbeleiter einstellen und umwirbt mich mit einem Anfangsgehalt von monatlich dreitausend tschechischen Kronen. Er weiß, daß ich ansonsten monatlich nur ein Taschengeld von sechzig Kronen bekomme und mein Geld noch nicht mal für die Straßenbahn reicht, so daß ich ihn oft nach Feierabend zu Fuß aufsuche, um ihm die Zeitschriften zu bringen. In diesem Stadtteil kann es passieren, daß man abends von Dirnen angesprochen wird, teils so unangenehm, daß man dann doch lieber wieder auf das teurere Beförderungsmittel zurückgreift, um das Gebiet schnell hinter sich zu bringen.

Aber manchmal kommt man nicht darum herum. Ich soll einen Straßenzug durcharbeiten. Viele Familien wohnen anscheinend in den oberen Stockwerken und sind atriumartig nur über einen Innenhof mittels Außentreppen erreichbar. Ich klettere hoch und klopfe an. Freundlich bittet man mich herein. Ungeahnterweise, dies erkenne ich jetzt, befinden sich hier Damen eines Nachtetablissements. Plötzlich stehe ich mitten in einem Damenschlafzimmer, in dem ungefähr zehn Betten aufgestellt sind. Höflich versuche ich mich aus der Affäre zu ziehen, aber die Damen stellen intelligente Fragen, und wir kommen zu interessanten Gesprächen. Sie benehmen sich sehr anständig sowie zuvorkommend und nehmen mir fast alle Broschüren ab.

In einer weiteren Straße ist ein Nonnenkloster. Bis dahin habe ich keine guten Erfahrungen mit dem katholischen Klerus gemacht. Die Geistlichen überantworten uns meist umgehend der Polizei und bereiten uns rigorose Schwierigkeiten. Daher hebe ich mir das Kloster bis zu allerletzt auf. Es ist noch früh am Morgen, und da ich in dem Tante-Emma-Laden, vor dem ich stehe, keine Kunden sehe, will ich das Geschäft betreten. Ich schwinge mich die zehn Stufen hoch und stoppe direkt vor dem grimmigen Gesicht des Inhabers. Noch ehe ich auch nur einen Satz reden kann, schnappt er mich, hebt mich an und wirft mich die Treppe hinunter. Ein Glück, daß ich nicht seine Figur habe, sonst hätte es einen riesigen Fettfleck gegeben – dieser Gedanke schießt mir durch den Kopf, aber zum Lachen ist mir gar nicht zumute. Ich schüttle und säubere mich, während ich mich, meine Knochen zählend, aufrichte. Den Straßenzug arbeite ich trotzdem konsequent durch und gehe abschließend zum Kloster. Gut, daß sich mein Vorurteil nicht bestätigt, denn eine Ordensschwester bittet mich herein, und die Oberin kauft mir auch noch die einzige Broschüre ab, die ich in dieser Straße zurücklassen kann.

Ein Vierteljahr später teilt man mir wieder diesen Straßenzug zu. Eben noch will ich es umtauschen, aber dann schlägt mein Gewissen, und ich sage mir, wenn dieser Unmensch, dieser ignorante Ladenbesitzer, mit einem meiner Brüder so umgeht, kann das dessen Leben kosten. Es gibt kein Drumherum, ich muß die Zuteilung behalten.

Diesmal gehe ich zuletzt zu dem Ladenbesitzer, behalte aber einen notwendigen Sicherheitsabstand. Dennoch bewegt er sich auf mich zu. Schleunigst mache ich eine Kehrtwendung und nehme meine Beine in die Hand. Später bekomme ich das Gebiet noch mehrmals zugeteilt. Ich sehe das nicht als Zufall an, denn beim vierten Mal bittet er mich, zu warten und ihn zu besuchen. Meine Bedingung ist allerdings, daß er schön hinter seiner Verkaufstheke bleibt. Er verspricht es und entschuldigt sich. Ich kann ihm gut Zeugnis geben, er nimmt sogar Literatur und wirkt beeindruckend friedlich. Zeugen Jehovas wird er wohl nicht mehr so brutal behandeln.

Oft sind wir im Predigtdienst zu zweit unterwegs. Knurrt uns mittags der Magen, stellen wir uns unauffällig in einen Hausflur und verzehren das mitgebrachte Schwarzbrot und getrocknete Bananenstücke. Die Glaubensbrüder Helle und Riffel bleiben mir in Erinnerung, sie haben sich nie unterkriegen lassen. Sie können immer, so ganz auf eine spielerische Art und Weise, aufmunternde Gedanken vermitteln.

Bei einer Gelegenheit haben wir die großen Glaspaläste am Wenzelsplatz zu bearbeiten, aber das sind doppelt bewachte Bürogebäude der Regierungsbeamten. Wie können wir die Angestellten dort erreichen? Wir überlegen einen Augenblick und fassen den Entschluß, uns den Zutritt recht unauffällig durch eine Eingangstür eines Nebengebäudes zu verschaffen. Die eiserne Brandtür ist nicht verschlossen und daher kommen wir ohne weiteres über ein Treppenhaus in die verschiedenen Stockwerke. Wir staunen nicht schlecht, denn die Beamten lassen gut mit sich sprechen und nehmen unsere Angebote an. Gänzlich unbefangen machen wir munter weiter, bis wir durch ein ohrenbetäubendes Spektakel aufschrecken. Sirenen heulen los. Zwei Pförtner springen wütend auf uns zu und schleppen uns, fest an den Ohren haltend, »Police! Police!« schreiend, die Treppe hinab. Geschickt können wir noch so eben durch die sich schnell formierende Menschentraube entwischen.

Monate später arbeiten wir in dem Gebiet, in dem die Beamten des Wenzelsplatzes privat mit ihren Familien wohnen. Die meisten haben nur eine Frage: »Wie sind die beiden Zeugen Jehovas an der Doppelwache vorbei ins Haus gekommen?« Keiner von ihnen verschwendet auch nur einen Gedanken an die eisernen Brandtüren. Bruder Otto Helle hatte die Sache pfiffig eingefädelt.

Ein anderes Mal, an einem heißen Tag, scheuchen uns Polizeibeamte dermaßen durch die Stadt, daß uns unsere vornehmen Papierkragen vom Schweiß aufweichen und abplatzen. Wir wollten nur einem katholischen Würdenträger einen freundlichen Besuch abstatten, aber der Küster denunziert uns umgehend bei der Polizei.

Unser Heimleiter, Bruder Kopecky, hat es nicht immer leicht mit uns. So verschiedene Charaktere wollen verständnisvoll angefaßt werden. Nicht alle denken an Tugend und Reinheit. Zuweilen spielt das holde, weibliche Geschlecht eine nicht geringe Rolle, den einen oder anderen vom ursprünglich angestrebten Ziel abzulenken. Besonders bei einer stetig wachsenden Versammlung stellen sich attraktive Versuchungen ein. Soweit feste Absichten bestehen, hält sich alles noch im verträglichen Rahmen.

Bruder Huf, aus Kiel stammend, hat eine einheimische Freundin hier aus Prag und kommt zuweilen nachts ziemlich spät nach Hause. Manchmal sind dann einige von uns durch sein Gepolter aufgewacht; mir ist das jedoch nie aufgefallen. Aufgrund der Sprachbarrieren nennt Hufs Freundin ihn »Bubi«. Ohnegleichen aufgebracht, taucht irgendwann einmal Hufs Schwiegervater in spe bei Bruder Kopecky auf und schlägt einen fürchterlichen Krach. Er beschuldigt einen Mann namens »Bubi«, den er allerdings nicht von Angesicht kennt, seiner holden Tochter den Hof zu machen.

Prag, Wenzelsplatz – zirka 1933

Alle im Hause kennen mich als »Bubi«, und kaum jemand hat wahrgenommen, daß Hufs Freundin ihren Geliebten ebenfalls so bezeichnet. So erhalte ich von Bruder Kopecky eine geharnischte Strafpredigt. Von Hufs Verhältnis ahne ich absolut nichts und reagiere anfangs gleichgültig. Alle bestaunen mich wegen meiner Gelassenheit, aber Bruder Kopecky kommt dadurch erst recht in Rage, wird immer lauter und droht massiv. Eingeschüchtert schleiche ich, den Tränen nahe, ins Schlafgemach. Nach einer Verschnaufpause klärt Bruder Kirsch die Sache auf.

Meine Glaubensschwestern respektieren meine Glaubensgrundsätze, und sie vertrauen mir im großen und ganzen. Sie verstehen nur nicht, daß ich momentan noch ledig bleiben will.

Prag, Hradschin – zirka 1933

Gravierender Machtwechsel auch bei uns schmerzlich spürbar

Im Zuge der Machtübernahme durch Adolf Hitler treten auch in Prag gravierende Veränderungen auf. In Deutschland ist das Werk der Zeugen Jehovas, wie sich die Ernsten Bibelforscher seit einer Resolution des Jahres 1931 nennen, verboten worden.

Das Magdeburger Büro der Wachtturm-Gesellschaft wird nach Prag-Smichov verlegt. Dort bin ich nun größtenteils als Maurer tätig. In der alten Schlosserwerkstatt wird die Druckerei eingerichtet. Alte Maschinensockel müssen durch neue ersetzt werden. Türen bauen wir von hier nach da um, ziehen neue Wände hoch und dergleichen. Dabei darf auch die andere Arbeit nicht zu kurz kommen, wie Lager- und Zeitschriftenverwaltung, Literaturbestellungen für die Pioniere auf dem Balkan erledigen und einiges mehr. Mit der sowieso

Unsere Dienstgruppe

geringen Freizeit ist es vorerst vorbei.

Die politische Entwicklung Deutschlands wird von hier aus, vom Ausland aus gesehen, argwöhnisch und skeptisch beobachtet. Besonders nach dem Reichstagsbrand mißtraut man den Deutschen. Für unsere Missionare auf dem Balkan, in Jugoslawien, Rumänien, Ungarn und weiteren östlichen Ländern, wird die Situation immer schwieriger. Meine Gedanken sind bei ihnen, und ich sehe die Dinge nicht mehr so arglos. Das wird mir letztendlich schaden. Die ver-hältnismäßig gute Verpflegung bei uns in Prag mißfällt mir angesichts der offensichtlich anderswo unendlich harten Bedingungen. Wie kann ich dies mit meinen geringen Mitteln vernünftig verdeutlichen? Die Lage Bier nach jeder Mahlzeit lehne ich daher ab. Auch eine Limonade ist mir in dieser Lage nicht recht, und ich merke an, wenn ich durstig wäre, würde ich Wasser trinken. Meine Gedanken werden mir zum Fallstrick. Dies muß als störend empfunden werden.

Meine hier offen geschilderten negativen Gedanken wären mir bestimmt nicht gekommen, wenn ich meine selbst aufgestellten Lebensregeln beachtet hätte – mich eng an das Vorbild Jesu Christi zu halten und in allen Entscheidungen die Frage zu stellen: Wie würde Jesus entscheiden?

Später fallen mir die passenden Schriftstellen (hier jeweils zitiert nach der Bibelausgabe »Neue-Welt-Übersetzung der Heiligen Schrift (1986). Selters/Taunus: Wachtturm Bibel- und Traktat-Gesellschaft«) ein ...

»Warum schaust du also auf den Strohhalm im Auge deines Bruders, beachtest aber nicht den Balken in deinem eigenen Auge?« (Matthäus 7 : 3)

»Das Herz ist verräterischer als sonst irgend etwas und ist heillos. Wer kann es kennen?« (Jeremia 17 : 9)

Mein Gott Jehova kennt mein Herz, und ich danke ihm, daß er mein Herz, den Sitz der Beweggründe, durch sein Wort – die Bibel – konsequent schult.

Abends liegt neben meinem Teller ein Brief mit dem Inhalt: »Du bist für den Außen-Pionierdienst vorgesehen.« Eine Fahrkarte nach Zlin (Gottwaldov), an der slowakischen Grenze gelegen, liegt dabei. Als Partner teilt man mir Artur Vetin zu. Bruder Vetin war ursprünglich Adventist, bevor er ein Zeuge Jehovas wurde. Wir sind ja ein »schönes Paar« – denn Artur ist etwas begriffsstutzig und schwer umgänglich. Mir fehlt die in Krisensituationen nötige Lebenserfahrung. Außerdem besitzen wir kein Geld, nicht eine einzige Krone. Nach dem Abendbrot treffen wir uns in der Dienstversammlung, es ist ein Freitag. Wir verabschieden uns von den Brüdern, denn gleich am nächsten Morgen soll es losgehen. In der anschließenden Nacht schlafe ich relativ ruhig, dank einer erstklassigen »Beruhigungspille« in Form eines lapidaren Geldscheins. Eine alte Schwester hat mir direkt nach der Versammlung einen Briefumschlag mit einem Einhundert-Kronen-Schein zugeschoben. Sicherlich macht Geld nicht glücklich, aber in dieser Situation beruhigt es mich etwas und stärkt mein Vertrauen zu Jehova.

Die Fahrt nach Zlin haben wir am späten Nachmittag gut hinter uns gebracht, aber Artur geht gleich blauäugig und übermotiviert nach unserer Ankunft von Haus zu Haus, trotz aller Absprachen, den Predigtdienst erst nach unserer Anmeldung als Besucher aufzunehmen. Wir haben eine Unterkunft gefunden, und ich will uns erst als Touristen anmelden. Artur ist mir unbemerkt entwischt. Noch während ich auspacke, kommt er mit der Polizei zurück und spricht ganz treu und ehrlich, doch ein wenig einfältig: »Hier ist der andere.«

Mein Schimpfen und Drohen nutzt nichts. Ich muß wieder einpacken, versuche allerdings noch etwas Zeit zu gewinnen, denn ich hatte im Zug meine Tasche mit der Elberfelder Taschenbibel meines Vaters stehenlassen. Das ärgert mich maßlos, denn das ist für mich ein schwerer Verlust. Arturs Dummheit ist dagegen halbwegs verzeihbar – er kann einfach nichts dafür.

Man behandelt uns wie Schwerverbrecher. Meine erst gestern erhaltene »Beruhigungspille« nimmt man uns gnadenlos wieder ab. Trotz harter Holzpritsche schlafe ich die Nacht den »Schlaf des Gerechten«.

Wir werden nach Deutschland abgeschoben. Vierzehn Tage geht unsere Reise von Zlin in der Tschechei bis nach Mittelwalde. Die deutsche Grenzstation liegt an der schlesisch-tschechischen Grenze. Wir lernen ein nettes Polizeirevier nach dem anderen kennen, bei außergewöhnlich guter Behandlung und exzellenter Verpflegung, versteht sich. Nun ja, in der kurzen Zeit von vierzehn Tagen kann man wenigstens nicht verhungern. Ich will nicht undankbar sein – aus Mitleid gibt uns schon mal der eine oder andere Beamte ein Stück Brot. Reisen bildet, sagt man so landläufig. Ein Landstreicher, auch ein Abschiebehäftling, bringt mir in diesen Tagen einige Tricks bei. Nützlich kann es sein, wenn man weiß, wie man mit einer Sicherheitsnadel Vorhängeschlösser öffnen kann.

Ein abgesperrter Schuppen bietet unserem neuen Kumpanen einen besonderen Reiz. So schnell komme ich noch nicht einmal bei geöffneten Türen in den Kartoffelkeller. Er hat auch immer Geld. Er erzählt uns, daß er aus Dreck Butter machen kann. Gips und Zement hätte er zu grauem Pulver vermischt und es als Silberputzmittel verkauft. Die Menschen wollen an der Nase herumgeführt werden, meint er. Unser Landstreicher hat uns jedenfalls ordentlich aufgemuntert, so daß wir unser Los mit Humor ertragen.

Wir haben unser Heimatland, zumindest der Geburt nach, erreicht. Hier in Mittelwalde, kennt man keinen Humor. Nebenbei gesagt: Kurioserweise gibt es noch nicht einmal einen Bedeutungszusammenhang zwischen dem sogenannten schwarzen Humor und einer schwarzen Gesinnung. Man überstellt uns also den schwarz uniformierten Männern der deutschen SS-Hilfspolizei. Sie sperren uns sofort ein. Unser Gepäck wird gründlich durchsucht. Man sagt uns, wir könnten freigelassen werden, allerdings sollen wir eine der drei Bedingungen akzeptieren, entweder der NSDAP, der SS oder der SA beizutreten.

Während man meinen Koffer durchsucht und die Papiere kontrolliert, zieht mich einer der schwarzen Hilfspolizisten am Ärmel und flüstert mir auf Remscheider Platt zu: »Ich bin auch Remscheider. Paß auf, es fahren zwei Geheimpolizisten mit nach Glatz.«

Bruder Vetin läßt sich davon überzeugen, daß die beiden zivil gekleideten, nett aussehenden Männer, die uns begleiten werden, offensichtlich Kriminalbeamte sind, und daß er sich einfach aus unseren Gesprächen herauszuhalten hat.

Nun hocken wir in dem kleinen Wartesaal des Bahnhofes in Glatz, allein, mitten im tiefsten Schlesien. Die beiden Beamten haben uns schlicht stehenlassen und sind ohne nähere Erklärung einfach verschwunden. Nichts, gar nichts, sagten sie uns. Wir haben den Eindruck, daß Jehovas

Engel es so geleitet haben, daß uns unsere Häscher entkommen ließen.

Unsere Koffer verstauen wir in der Gepäckaufbewahrung und kaufen uns für ein paar zusammengekratzte Pfennige eine Landkarte zur Orientierung. Dann werden Pläne beraten, wie und wo wir vernünftigerweise die Heimreise antreten wollen.

Artur Vetin ist nicht davon abzubringen, die Reise nach Breslau zu Fuß anzutreten. Mein Hinweis, es wäre immerhin ein schier endloser Weg von fast neunzig Kilometern, schreckt ihn nicht. Artur läßt sich nicht beirren, er marschiert los.

Draußen regnet es in Strömen. Irgendwie freue ich mich doch, daß ich die Sorge um Artur los bin, habe selbst aber auch kein klares Ziel. Mir schwebt zur Übernachtung eine Jugendherberge vor. Am darauffolgenden Tag hätte ich dann für die Unterkunft arbeiten können. Im unablässig herabprasselnden Regen ziehe ich, bis auf die Knochen durchnäßt, durch die Nacht. Ein freundlicher Herr beschreibt mir zur Herberge einen halbstündigen Fußweg durch eine Siedlung.

Die Häuserzeilen sind hell beleuchtet, aber die Bewohner haben sich hinter ihren Öfen verkrochen. Unter einem Regenschirm lugen mich zwei ältere Damenaugen flüchtig an, und ich frage ganz vorsichtig: »Kennen Sie Zeugen Jehovas hier am Ort?«

»Ja«, antwortet sie, »aber ich kann Ihnen niemanden namhaft machen.« Hurtig eilt sie davon. Bei einer weiteren alten Frau habe ich mehr Erfolg. Sie vertraut mir eine Adresse in dieser Siedlung an, nachdem ich glaubhaft beteuert habe, selbst ein Zeuge Jehovas zu sein. »Herr Siefert. Allerdings ist er noch nicht getauft. Sicherlich kann er Ihnen weiterhelfen.«

Zitternd, aber hoffnungsvoll klopfe ich an die Haustür der Familie Siefert. Ein Mann öffnet, und ich bringe einen

Spruch vor, der mich als Zeuge Jehovas kenntlich machen soll. Aber so leichtgläubig ist man in Deutschland nicht mehr. »Damit habe ich nichts zu tun.« Die Tür schlägt zu.

Warum macht dieser Mann bei meinem Anblick die Türe wieder zu? Sehe ich überhaupt noch wie ein Mensch aus? Meine Finger sind abgestorben, mein ausgemergelter Körper zum Knochengerüst abgemagert und blaß. Das Wasser rinnt aus allen Knopflöchern. Frustriert bemitleide ich mich selbst. Wo sind meine früheren anteilnehmenden Gedanken? Wie bin ich in diese Lage gekommen? ...? Wie geht es meinen Glaubensbrüdern auf dem Balkan? Ihre Übernachtungsmöglichkeiten im Heuschober sind auch nicht besonders reizvoll. ...!

Ich klopfe ein zweites Mal an die Haustüre. »Ja, was ist denn?« fragt Herr Siefert leicht genervt. »Ich wollte Ihnen nur sagen, ich kann mich ja ausweisen«, zittere ich. »Nun, wenn Sie das können«, Siefert schaut mir gespannt in die Augen. » ...!?« Mein Problem ist nur, daß ich meinen Paß im Koffer verstaut habe, und den Koffer habe ich im Gepäckfach des Bahnhofs. Schlagartig knallt die Türe wieder in die Angel. Stur hämmere ich mit meiner Faust noch einmal an die Haustür. Siefert guckt mir grimmig ins Gesicht: »Ja, was denn noch?« »Herr Siefert, lassen Sie mich bitte einige Gedanken aus dem zuletzt studierten Wachtturm vortragen.« »Wenn Sie das können!« sagt er und schaut mich dabei gespannt an.

Wenigstens einige Gedanken kriege ich stammelnd heraus. Vor Kälte schlottern mir die Knie. Siefert wartet allerdings nicht lange und zieht mich ins Haus. Er heizt das Badewasser an und gibt mir trockene Kleidung und ein warmes Abendbrot. Am nächsten Morgen, ich komme gerade aus der Koje, ist Herr Siefert schon mit einem kleinen Handwagen unterwegs zum Bahnhof und birgt meine Gepäckstücke. Mittags bringt er mich zu Brüdern, einer Familie Thamm. Von dort aus korrespondiere ich mit Prag, denn ich will nach wie vor im Vollzeitdienst bleiben. Ich kann ja frei reisen, weil mein Paß wieder in meinem Besitz ist. Tage später bekomme ich aus Prag die Order, nach Hause zu fahren und weitere Weisungen abzuwarten.

Familie Thamm lebt von Wohlfahrtsunterstützung, es hat einfach niemand von ihnen Arbeit finden können. Momentan bin ich hier festgenagelt. Ich mache mich dadurch nützlich, daß ich mit in die Glatzer Berge zum Stubbenroden gehe. Mit einem Handwagen transportieren wir das Wurzelholz, damit die Familie wenigstens etwas Feuer für die harten Winter hat. Die Wartezeit überbrücke ich so, bis mir Mutter Geld für die eintausendeinhundert Kilometer weite Rückreise schickt.

Familie Thamm
(Aufnahme von 1934)

Mein Freund Artur Vetin ist bei der anvisierten Reise nach Breslau nicht weit gekommen. Er läuft mir noch einige Male in der Glatzer Versammlung über den Weg. Aber nach meiner Abreise höre ich nichts mehr von ihm.

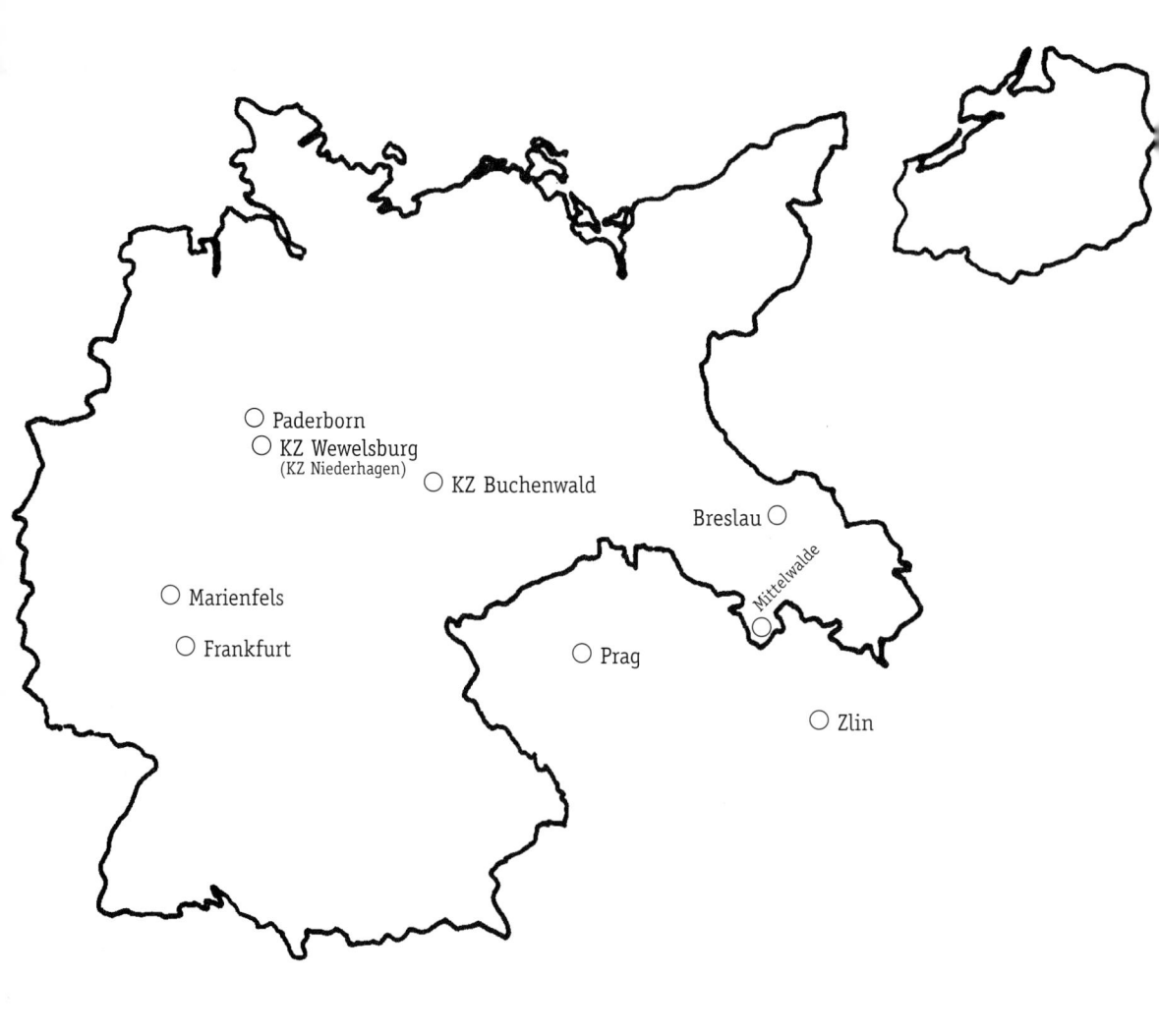

Umriß des Deutschen Reiches vor dem 2. Weltkrieg und meine Stationen

Ein Land hat sich tragisch verändert – haben sich die Bewohner auch generell verändert?

»Junge, wie siehst du denn aus?« schlägt meine Mutter die Hände über dem Kopf zusammen. Zweieinviertel Jahre haben wir uns nicht gesehen. Nicht nur sie erkennt, daß ich mich etwas verändert habe. Die erniedrigenden Erfahrungen waren schon eine Prüfung, aber es gibt auch viele schöne Erinnerungen. In mißlichen Lebenslagen kamen mir oft die Gedanken gemäß meinem geschworenen Hingabegelübde »Gott treu bis zum Tod zu sein«.

Auf neue Missionarsaufgaben wartend, versuche ich mich zeitweise als Reisevertreter. Man hat mich jedoch unter Polizeiaufsicht gestellt, daher überrascht man uns daheim vierteljährlich mit einer Hausdurchsuchung. Stehen Wahlen an, die nur eine Farce sind und dem Bürger eine Möglichkeit der Mitentscheidung vorgaukeln, gibt es Repressalien für die Nichtwähler. Ich will mich politisch neutral verhalten, daher fliehe ich auf meinem Fahrrad. SA-Schergen stellen mich unterwegs und drohen mit Mißhandlungen. Einer meiner ehemaligen Schulkameraden, der dabei ist, verhindert dies. Offiziell prahlt das System mit einem zweiundneunzigprozentigen Wahlergebnis für die NSDAP. Ich kenne viele, die anders denken. Mein Bruder Erwin gehört dazu. Er interessiert sich für die Sozialdemokratie und wählt aus Protest kommunistisch. Zeugen Jehovas können sich nicht mehr regelmäßig versammeln, dennoch halten wir untereinander guten Kontakt.

Wenn sich bei meiner Tätigkeit als Reisevertreter eine Gelegenheit bietet, übernachte ich bei Glaubensbrüdern.

Schwache im Glauben lassen sich, ohne es sich bewußtzumachen, als Werkzeuge des Widersachers Gottes gebrauchen. Meine Tugendhaftigkeit wird hin und wieder erprobt. Eine junge Schwester, die mit einem Glaubensbruder verlobt ist, will mir weismachen, sie habe die Verlobung gelöst. Einer intimeren Beziehung zwischen uns stehe damit nichts im Wege. Unter dem Vorwand, sie müsse sich auf dem Lande erholen, schlüpft sie auch noch für vierzehn Tage bei uns unter. Sie rückt mir dermaßen auf die Pelle, daß ich mir eine andere Anstellung suchen muß.

Für kurze Zeit gehe ich wieder auf den Bau, während die junge Frau noch bei uns ist. Abends habe ich mit ihr spazierenzugehen. Bei einer Gelegenheit wird sie auf einmal so zudringlich, daß ich sie bitte, mit mir niederzuknien, dabei flehe ich Jehova um Hilfe an. Pausenlos rotieren meine Gedanken zwischen Gefühl und Verstand, schließlich bin ich ein physisch gesunder Mensch. Jehova muß mein Flehen erhört haben. Wir kommen ein paar Minuten später ins Haus und sind über die Erhörung unseres Gebetes überrascht. Ihr Verlobter wartet schon entrüstet auf uns. Er hat immerhin einen Weg von ungefähr siebzig bis achtzig Kilometern mit dem Fahrrad hinter sich gebracht. Nach Wochen, inzwischen haben die beiden geheiratet, schreibt er mir einen glaubensstärkenden Brief und befreit mich von den bis dahin schwerwiegenden sittlichen Anschuldigungen seiner Frau. Im Jahre 1939 haben wir uns unter traurigen Verhältnissen im Lager Buchenwald wiedergesehen. Seine Ehe war wegen einer überzogenen materialistischen Einstellung seiner Gattin gescheitert.

Für höchstens drei bis vier Wochen komme ich in periodischen Abständen an Arbeit, obwohl mir bestätigt wird, daß ich anständig arbeite. Aber die Arbeitsfront der NSDAP drängt, sobald sie etwas mitbekommt, immer wieder auf meine sofortige Entlassung.

Auf Anweisungen aus Prag warte ich vergeblich. Die Polizei hat meinen Paß beschlagnahmt, und ich habe mich regelmäßig bei der Behörde in St. Goarshausen zu melden. Ich sinne über eine Emigration nach, aber ohne Paß ist das schon fast ein mörderisches Unterfangen. Es bietet sich 1936 die Hauptversammlung der Gesellschaft in Luzern/Schweiz an. Aus Lörrach, rheinaufwärts gelegen, stammt Bruder Riffel, den ich aus der Prager Zeit kenne. Durch ihn hoffe ich, daß ich mit anderen Brüdern in Verbindung treten kann.

Ich habe mich auf den langen Weg gemacht, aber um anderen Brüdern keine Schwierigkeiten zu bereiten, und um mich noch rechtzeitig bei der Behörde rückzumelden, die ganze Aktion in Lörrach wieder abgebrochen. Bis nach Hause komme ich allerdings nicht mehr. In Reichenberg muß ich Station bei Schwester Langner machen. Sie macht mir ein wohltuendes Bad und steckt mich ins Bett. Fast vierzig Stunden habe ich auf dem Fahrrad verbracht. Sechshundert Kilometer bin ich am Rhein entlang bergauf gestrampelt, und dann wieder sechshundert zurück in unsere Niederungen.

An die Versendung des »Offenen Briefes« im Jahre 1937 erinnere ich mich gut. Es wird die Entschlossenheit zum Ausdruck gebracht, Jehova Gott mehr zu gehorchen als Menschen. Nationalsozialistische Beamte, die unsere Glaubensbrüder besonders unmenschlich behandeln, werden in diesem Brief persönlich benannt und angeprangert. Aufrichtige Menschen sollen damit die Möglichkeit bekommen, sich auf die richtige Seite zu stellen.

Wir besorgen uns aus einem Adreßbuch die Anschriften der Kommunalbeamten des Bezirkes Koblenz und kaufen bei unterschiedlichen Postämtern in kleinen Mengen Briefmarken. Gummihandschuhe werden übergestülpt, und die Post wird versandfertig gemacht. Ich bin im Mühlbachtal tätig. Zu meinem Schutz kauere ich mich unter das Buschwerk der Abhänge. In mehreren Dörfern, die nicht von Brüdern bewohnt werden, gebe ich die Briefe in verschiedene Postbriefkästen. Ähnlich sind wir bei allen übrigen Aktionen aufgrund der jeweils verfaßten Resolutionen verfahren. Kaum einer kann sich entschuldigend auf Unwissenheit berufen.

Es soll nicht unerwähnt bleiben, daß mir Nachbarn Hilfe geleistet haben. Die Bevölkerung hat keinen Rat gewußt und achselzuckend und oft genug angstvoll bei Drangsalierungen zusehen müssen. Immer wieder höre ich: »Ach, wenn du doch nur in die Arbeitsfront gehen würdest.«

Ein Bauunternehmer, er soll eine stattliche Mühle, sechs Etagen umfassend, einschließlich einer entsprechenden

Betontreppe bauen, bettelt förmlich: »Wir haben alles vorbereitet. Sie brauchen nur zu unterschreiben. Die Firma zahlt alles. Wir brauchen Sie.« Schon obligatorisch stellt sich ziemlich zügig die Entlassung ein. Die SA-Leute lachen triumphierend, als ich mit meinem Werkzeug die Baustelle verlassen muß. Aber ihr höhnisches Gelächter verstummt schnell. Oben öffnet sich ein Mühlenfenster, und wie aus einer Kehle hallt es, einer Sympathiekundgebung gleichend: »Auf Wiedersehen, Kamerad!«

Keinen meiner Arbeitskollegen kannte ich bis dahin. Nur drei Wochen waren wir zusammen. Ihre anerkennende Reaktion kann ich nur so erklären: Unser freundschaftliches Miteinander ist durch einen freundlichen Umgangston geprägt worden. Dies schreibe ich schon auf meine Fahnen, allein schon durch ein nettes »Guten Morgen!« und »Guten Tag!« fiel allen die Arbeit etwas leichter. Vorher hat man sich auf der Baustelle nur unflätig angeranzt und höchstens mit »Heil Hitler!« gegrüßt, wenn überhaupt.

Die regelmäßigen Polizeibesuche werden bei uns zu Hause gefürchtet. Die Beamten toben sich aus, wutentbrannt werfen sie alles durcheinander. Zum Verhör schleppt man mich ins Gemeindebüro. Mutige Dorfbewohner, auch ehemalige Schulkameraden, belagern das Haus und rufen im Stakkato: »Der Max bleibt bei uns im Dorf! Macht, daß ihr fortkommt!« Die Polizeibeamten bitten mich beim nächsten Mal, ich solle doch allein zum Gemeindebüro gehen, weil es sonst jedesmal einem Festzug gleichen würde, wenn sie mich

Offener Brief

An das bibelgläubige und Christus liebende Volk Deutschlands!

Der biblische Name für den allmächtigen Gott ist JEHOVA; er hat in seinem Wort, der Bibel, welches Christus die Wahrheit nannte, sein Vorhaben mit allen Menschen guten Willens geoffenbart. Die Kenntnis von diesem Vorsatz des Höchsten ist darum für jeden Menschen von lebenswichtigster Notwendigkeit.

D. Martin Luther prophezeite einst:

„Nach unser Zeit wird die Strafe auch über Deutschland und andere mehr gehen um der gräulichen Undankbarkeit und Verachtung Willen des lieben seligen Worts, das ihnen rein und reichlich gepredigt wird. Und wird nach diesem hellen Licht ein gräßliche, schreckliche Finsternis kommen."

(Aus D. Martin Luthers Werken, Kritische Gesamtausgabe, Tischreden 6. Band, Weimar 1921, Nr. 6543.)

Es ist nun eine erschreckende Tatsache, daß die gegenwärtigen Machthaber in Deutschland alle aufrichtigen *Bibelchristen*, die offen ihren Glauben an Jehova Gott bekennen und ihm dienen, schmähen, verleumden und *mit grausamen Mitteln verfolgen*.

Jehovas Zeugen verfolgt

Ägyptens Pharao mißhandelte einst Jehovas auserwähltes Volk. Die Schrift erklärt, daß Pharao der Vertreter des Teufels war, und daß er samt seinen Helfershelfern von Gott bestraft und vernichtet wurde.

Mose war ein Hebräer, ein von Gott inspirierter Prophet, der einen Teil der Bibel verfaßt und darin erklärt hat, daß Jehova einen Größeren, von dem Mose ein Schattenbild war, erwecken würde, und daß dieser Größere der Messias sei und zum rechtmäßigen Herrscher der Erde ernannt werden würde. Viele weitere Bibelstellen und Jesu eigenes Zeugnis beweisen, daß *Jesus Christus* jener Größere, das heißt *der Messias und Erretter* ist.

Seit vielen Jahren haben wir, Jehovas Zeugen, früher Bibelforscher genannt, in Deutschland unseren Volksgenossen die Bibel und ihre trostreichen Wahrheiten gelehrt und dabei in selbstloser Weise zur Linderung materieller und geistiger Not Millionen verausgabt.

Als Dank dafür sind Tausende von Zeugen Jehovas in Deutschland aufs grausamste verfolgt, mißhandelt und in Gefängnisse und Konzentrationslager eingesperrt worden. Trotz größtem seelischem Druck und trotz sadistischer körperlicher Mißhandlung, auch an deutschen Frauen, Müttern und an Kindern im zarten Alter, hat man in vier Jahren nicht vermocht die Zeugen Jehovas auszurotten; denn sie lassen sich nicht einschüchtern, sondern fahren fort, *Gott mehr zu gehorchen als den Menschen*, wie es seinerzeit die Apostel Christi auch taten, als man ihnen verbot, das Evangelium zu verkündigen.

Die gegenwärtige unchristliche und bibelfeindliche Regierung maßt sich ferner an zu erklären, daß nur die römisch-katholische Kirche und die Staatskirche eine Art Religionsfreiheit ausüben kann, daß aber allen anderen wahrhaft bibelgläubigen Christen *keine Glaubens- und Gewissensfreiheit* gewährt wird.

Gewissenszwang

In vielen Teilen Deutschlands bemühen sich die Kreisleiter vergeblich, die Zeugen Jehovas zur Unterzeichnung von Ehrenerklärungen zu zwingen, worin es wörtlich heißt:

„Ich versichere hiermit an Eidesstatt, daß ich die staatsfeindlichen Machenschaften der jüdischen Internationalen Bibelforscher-Vereinigung erkannt habe und ich mich als treuer Deutscher von dieser Vereinigung, so weit ich ihr angehörte oder nahestand, losgesagt habe ... ich werde die Gesetze und die Anweisungen der Partei und des Staates befolgen und vor allen Dingen auch in meiner Familie den Geist des Führers, besonders im Herzen meiner Kinder, aufrichten. Ich bedaure, daß ich früher einmal mich verleiten ließ und damit auch meine Familie in Gefahr brachte ... Ich bin mir bewußt, daß jede weitere Betätigung für die Internationale Bibelforscherbewegung, ganz gleich in welcher Beziehung, schärfste Bestrafung nach sich zieht, ich dann nicht mehr wert und würdig bin in der Gemeinschaft des deutschen Volkes zu leben und zu arbeiten. Falls in der kommenden Zeit staatsfeindliche Elemente an mich herantreten sollten mit Broschüren, Flugblättern, Büchern etc., werde ich die Täter sofort bei der zuständigen Partei- oder Polizeistelle melden und die Druckschriften abliefern.
Heil Hitler!"
(Unterschrift)

Bibelglaube — Wahnsinnslehre?

In einem persönlichen und vertraulichen Begleitschreiben der Kreisleitung W...., datiert den 5. April 1937, heißt es wörtlich:

„Jede Betätigung im Sinne dieser jüdisch-verbrecherischen Machenschaften [unsere Bemerkung: nämlich an Gott zu glauben und die Lehren der Bibel zu verkündigen] wird schärfstens bestraft."

Der Kreisleiter fährt fort:

„Da ich davon überzeugt bin, daß nur ganz wenige Verbrechernaturen an diese Wahnsinnslehre, die der Auswurf der Menschheit erdacht hat, wirklich glauben und für sie auch noch unter Einsatz der ganzen Person kämpfen können, nehme ich an, daß der größte Teil der uns namhaft bekannten früheren Bibelforscher oder der damit Sympathisierenden entweder durch falsche Information, Gedankenlosigkeit oder Gutgläubigkeit sich dieser Organisation anschlossen. Trotz des Verbots und erfolgter harter Bestrafungen gibt es noch Unbelehrbare, die immer wieder sich und ihre Familien in sinnloser Weise der Gefahr einer Bestrafung aussetzen."

Dann werden noch weitere Drohungen ausgesprochen, um den Bibelchristen zum Heuchler zu machen und die Erklärung zu unterzeichnen, indem es heißt:

„Sollte einer der Volksgenossen später sich erneut versündigen, kann ich ihm nicht mehr helfen, es muß dann die ganze Härte des Gesetzes in Kraft treten. Falls ein purer Verbohrter die Unterzeichnung dieser Erklärung ganz verweigern sollte, muß ich daraus entnehmen, daß er sich offensichtlich gegen Partei und Staat stellt und auch dann mit den Konsequenzen dieser Stellen zu rechnen hat."

Die Konsequenzen dieser Stellen sind Gefängnisstrafen bis zu fünf Jahren und nach Entlassung aus dem Gefängnis Konzentrationslager, und mancherorts, besonders im Ruhrgebiet, Ostpreußen und in Bayern, Mißhandlungen, die sich *von den Folterungen der Inquisitionszeit* nicht mehr unterscheiden.

Bibelfeindschaft

In amtlichen Blättern werden Jehovas Zeugen als Verbrecher, als Staatsfeinde, als Kommunisten und die Führer der Bewegung als Juden hingestellt, obwohl alle Welt außerhalb Deutschlands und Millionen bibelgläubige Deutsche davon überzeugt sind, daß die Zeugen Jehovas weder Staatsverbrecher noch Kommunisten noch Juden sind, sondern einfache, anständige, gottgläubige Christen. Die christentum- und bibelfeindliche Einstellung der deutschen Parteijustiz wird ferner bewiesen durch einen Artikel der Zeitschrift: „Der Deutsche Justizbeamte" Berlin, Ausgabe vom 21. März 1937. Unter der Überschrift „Der Bibelforscher im Strafvollzuge", von Strafanstaltsvorsteher Liesche, heißt es wie folgt:

„Welche Greuelmärchen die Internationale Bibelforscher-Vereinigung über Deutschland und unseren Führer bewußt zu verbreiten sucht, zeigt uns eine Resolution, die der Mitteleuropäische Kongreß der Zeugen Jehovas in Luzern, während der Tagung vom 4.—7. September 1936, faßte und alle gutgesinnten Menschen aufforderte, davon Kenntnis zu nehmen, daß Jehovas Zeugen in Deutschland, Österreich und Danzig grausam verfolgt, mit Gefängnis bestraft und auf teuflische Weise mißhandelt und manche von ihnen getötet werden. Die Hitler-Regierung hat den wahren Christen jede Art von grausamen Bestrafungen auferlegt und fährt fort dies zu tun..."

„Diesen Zeugen Jehovas liegt bei ihren Einlieferungen in die Gefängnisse daran, *die Bibel zu bekommen*, damit sie ihre staatsfeindliche Einstellung durch planvoll zusammengesetzte Bibelstellen weiter verfolgen und wenn möglich auch andere Insassen der Gefängnisse übertragen können. Sache der Vollzugsbehörden soll es sein, zu verhindern, daß das Studium der Bibel auf Aufzeichnungen hierfür, in irgendeiner gefährlicher Weise verwendet werden kann. Es ist somit dem pflichtgemäßen Ermessen der Vollzugsbehörden überlassen, w i e sie das verhindern; die Hauptsache ist, d a ß s i e es verhindern."

„Der Paragraph 112, Ziffer 5, der Dienst- und Vollzugsordnung besagt: ,Den christlichen Gefangenen sind die von den kirchlichen Behörden eingeführten Gebet- und Gesangbücher zu verabfolgen; evangelische Gefangene erhalten ein Neues Testament mit Psalmen, katholische Gefangene den Diözesan-Katechismus und ein Neues Testament oder die Biblische Geschichte. Jüdische Gefangene erhalten ein Gebetbuch.' *Diese Bestimmungen treffen aber für die Ernsten Bibelforscher als Strafgefangene nicht zu.*"

„Da nach Paragraph 112 STPO. der Zweck der Untersuchungshaft auch darin besteht, den Häftling an weiteren strafbaren Handlungen zu hindern, würde es offensichtlich dem Haftzweck widersprechen, den Untersuchungshäftlingen diejenigen Bücher (Bibel und Neues Testament) zu verabfolgen, aus denen sie für ihre innere Zugehörigkeit zu ihrer verbotenen Sekte und deren staatsfeindlichen Einstellung fortdauernd neue Nahrung und Ermunterung entnehmen könnten. Der zuständige Richter wird mithin auf entsprechenden begründeten Antrag des betreffenden Strafanstaltsvorstehers in aller Regel *die Entziehung der ganzen Bibel für die Ernsten Bibelforscher anordnen.*..."

Hieraus ist zu ersehen, daß genügend Handhaben gegeben sind, den inhaftierten Ernsten Bibelforschern die von ihnen verlangten Erbauungsbücher (Bibel und Neues Testament) vorzuenthalten, wenn man die in Frage kommenden Paragraphen nur richtig anzuwenden versucht, und wenn diese Bücher nur zu ihren staatsgefährdenden Zwecken mißbraucht werden sollen."

„Den Strafvollzugsbehörden ist in jedem Falle die Möglichkeit gegeben zu handeln unter dem Gesichtspunkte, daß es sich bei fast allen „Zeugen Jehovas" um Gefangene handelt, die als Fanatiker ihrer Idee zu betrachten sind und sich als Märtyrer bezeichnen. *Wenige sind nur unter ihnen, die durch die Strafverbüßung zur Einsicht gelangen.*"

Märtyrer des christlichen Glaubens

Obiges zeigt deutlich, daß der Kampf darauf ausgeht, dem deutschen Volke die Bibel zu rauben und die auf die geistige Freiheit und den *Glauben der Bibel* berufen. In christlicher Geduld und aus Scham haben wir lange genug zurückgehalten, die Öffentlichkeit in Deutschland und im Auslande auf diese Schandtaten aufmerksam zu machen. Es befindet sich in unseren Händen ein erdrückendes Beweismaterial von oben erwähnten grausamen Mißhandlungen der Zeugen Jehovas. *Bei der Mißhandlung haben sich unter anderen besonders der Kriminal-Assistent Theiss aus Dortmund, Tennhoff und Heimann von der Geheimen Staatspolizei Gelsenkirchen und Bochum hervorgetan.* Man hat sich nicht gescheut, Frauen mit Ochsenziemern und Gummiknüppeln zu mißhandeln. Für sadistische Grausamkeit bei der *Mißhandlung von christlichen Frauen* ist, wie erwähnt, besonders Kriminal-Assistent Theiss in Dortmund und ein Mann der Staatspolizei in Hamm bekannt. *Wir besitzen auch nähere Angaben und Namen von ca. 18 Fällen, wo Jehovas Zeugen gewaltsam getötet worden sind.* Anfangs Oktober 1936 wurde zum Beispiel der in der Neuhüllerstraße, Gelsenkirchen, Westfalen, wohnhaft gewesene *Zeuge Jehovas, Peter Heinen,* von Beamten der Geheimen Staatspolizei im Rathaus zu Gelsenkirchen erschlagen. Dieser traurige Vorfall wurde dem Herrn Reichskanzler Adolf Hitler berichtet. Abschriften davon erhielten auch der Reichsminister Rudolf Hess und der Chef der Geheimen Staatspolizei, Himmler.

Die grausamen Mißhandlungen und die gewaltsame Verschleppung von Willy Ruhnau, wohnhaft gewesen in Zoppot, Adolf Hitlerstraße 809, ist bereits als Petition dem Völkerbundsrat unterbreitet und in der Weltpresse bekanntgemacht worden. Die Danziger Polizei weigert sich, irgendwelche Auskunft über den Verbleib Ruhnaus mitzuteilen. Ruhnau ist ohne Zweifel von der Danziger Polizei verschleppt und nachher getötet worden.

Furchtlosigkeit

Die Verfolgung hat die treuen Zeugen Jehovas jedoch keineswegs abgeschreckt und wird sie auch fernerhin von ihrem Dienste nicht abhalten. Sie hat bei ihnen weder Überraschung noch Schrecken hervorgerufen. Bereits vor langer Zeit prophezeite schon Jesus von diesen Zuständen, wenn er zu seinen treuen Nachfolgern sprach: „Wenn die Welt euch haßt, so wisset, daß sie mich vor euch gehabt hat. Wenn ihr von der Welt wäret, würde die Welt das Ihrige lieben; weil ihr aber nicht von der Welt seid, sondern ich euch aus der Welt auserwählt habe, darum haßt euch die Welt. Gedenket des Wortes, das ich euch gesagt habe: Ein Knecht ist nicht größer als sein Herr. Wenn sie mich verfolgt haben, werden sie auch euch verfolgen" (Johannes 15: 18-20).

Die Stunde eilt heran, da Christus, im Auftrage Jehovas, Satan und alle seine Diener vernichten wird. Die Menschen werden nun hierüber aufgeklärt, damit sie sich entscheiden können, wem sie zu dienen wünschen. Es ist einem jeden Menschen möglich, die Bibel zur Hand zu nehmen und die bekannten Tatsachen mit ihren Aussagen zu vergleichen, um auf diese Weise festzustellen, wer der richtige Weg ist. Alle, die den Triumph der Gerechtigkeit herbeisehnen und in Frieden und Glückseligkeit zu leben wünschen, müssen sich entscheiden und sich auf Jehovas und seines Königreiches Seite stellen.

Diener Gottes

Um ein Diener Gottes zu werden, braucht man sich nicht irgendeiner Organisation anzuschließen. Es ist indessen notwendig, sich Jehova zu weihen, d. h. sich einverstanden zu erklären, Gott und seinem Königreiche zu dienen. Nachdem dieser Schritt getan ist, soll man die Bibel und die Hilfsmittel für deren Studium zur Hand nehmen. Dadurch empfangen wir die notwendige Belehrung und lernen den rechten Weg kennen. Daraufhin soll man sich befleißigen, allen Menschen gegenüber das Rechte zu tun.

Es steht allen Menschen frei, zu glauben was sie glauben wünschen; wer aber leben und glücklich sein möchte, entscheide sich für Jehova Gott und sein Königreich, werde sein Diener und bleibe ihm in Treue und Wahrhaftigkeit. Man achte nicht auf Menschenlehren, sondern befolge die Lehren des Wortes Gottes, wie sie in der Bibel enthalten sind.

Schutz

Der Beweis ist endgültig erbracht, daß Satan Jehovas Widersacher und der größte Feind der Menschen ist, daß er stets Religion gebrauchte, um die Menschen zu täuschen und sie Gott und Christus Jesus zu entfremden. Ferner, daß alle, die Religion lehren und sie ausüben, Feinde derer sind, die Gerechtigkeit suchen. Alle weltlichen Machthaber vertreten irgendeine Religion, und bewußt oder unbewußt nehmen sie eine Stellung gegen Gott und sein Königreich ein. Die Religion ausübenden Geistlichen bilden einen Teil der herrschenden Klasse und sind Freunde der Welt, und die Schrift erklärt, daß sie Feinde Gottes (Jakobus 4: 4). Gott gebietet, daß jetzt die Menschen von seinem Vorhaben, Satan und seine ruchlosen Organisationen zu vernichten, was er in Harmagedon tun wird, Kenntnis erhalten sollen. Wer sich gegen Gott und sein Königreich erklärt, gehört zu den Gesetzlosen. Jehova sagt nun mit Bezug auf die Guten und die Bösen folgendes: „Jehova bewahrt alle, die ihn lieben, und alle Gesetzlosen vertilgt er" (Psalm 145: 20).

Alle irdischen Herrscher sind unvollkommene Menschen, von welchen du keinerlei Schutz erhalten kannst. Gott warnt dich durch sein Wort: „Vertrauet nicht auf Fürsten [Herrscher], auf einen Menschensohn, bei welchem keine Rettung ist" (Psalm 146: 3). Solche, die Gelegenheit hatten, Gottes Gebote kennenzulernen und sie zu befolgen, aber vorzogen, Religion auszuüben, wird gar bald Gottes Strafgericht ereilen. Zu diesen sagt Jehova: „Wo sind ihre Götter, der Fels, auf den sie vertrauten?... Sie mögen aufstehen und euch helfen, mögen ein Schirm über euch sein! ... Wenn ich mein blitzendes Schwert geschärft habe und meine Hand zum Gericht greift, so werde ich Rache erstatten meinen Feinden und Vergeltung geben meinen Hassern" (5. Mose 32: 37-41). So erklärt Jehova, daß die Diener der Staatsreligion weder Hilfe noch Rettung geben können.

Es ist jetzt eine Zeit großer Gefahr, weil wir uns in den „Letzten Tagen" befinden, wie geschrieben steht: „Dieses aber wisse, daß in den letzten Tagen schwere [gefahrvolle] Zeiten da sein werden; denn die Menschen werden eigenliebig sein, geldliebend, prahlerisch, hochmütig, Lästerer, den Eltern ungehorsam, undankbar, ... Verräter, verwegen, aufgeblasen, mehr das Vergnügen liebend als Gott, die eine Form der Gottseligkeit haben, deren Kraft aber verleugnen; und von diesen wende dich weg" (2. Timotheus 3: 1-5).

Wie kannst du nun Schutz finden? Nur indem du dich gänzlich auf die Seite Gottes und Christi Jesu stellst. Euch, „die ihr Gott gegenüber aufrichtig und gutgesinnt seid, sagt er, eh denn über euch komme die Glut des Zornes Jehovas ... suchet Jehova, alle ihr Sanftmütigen des Landes ... suchet Gerechtigkeit, suchet Demut; vielleicht werdet ihr geborgen am Tage des Zornes Jehovas" (Zeph. 2: 2, 3).

Deine Feinde können und mögen dir deinen guten Namen nehmen, dein Besitztum zerstören und dich sogar töten; Gott jedoch besitzt die Macht, dich wieder zum Leben zu erwecken, und seine Verheißung ist, daß er alle auferwecken wird, die ihn lieben und ihm gehorchen. Wen aber Jehova Gott vernichtet, der wird niemals leben; darum sagt Jesus: „Und fürchtet euch nicht vor denen, die den Leib töten, die Seele aber nicht zu töten vermögen; fürchtet aber vielmehr den, der sowohl Seele als Leib zu verderben vermag in der Hölle" (Matthäus 10: 28).

Wer auf Gott und Christus Jesus vertraut und ihnen dient, wird beschirmt werden und ewiges Leben erhalten. „Dies aber ist das ewige Leben, daß sie dich, den allein wahren Gott, und du gesandt hast, Jesum Christum, erkennen" (Johannes 17: 3). Im Interesse deines eigenen Wohlergehens wende dich eilends ab vor jeglicher bibelfeindlichen Religion. Ergreife dagegen Christus und halte fest an ihm, folge seinen Fußstapfen nach und gehe den Weg wahren Christentums; dies bedeutet das Befolgen der Gebote Jehovas, so wie Christus Jesus stets getan hat. Es gibt keinen anderen Weg des Schutzes und des Heils. „Und es ist in keinem anderen das Heil, denn auch kein anderer Name ist unter dem Himmel, der unter den Menschen gegeben ist, in welchem wir errettet werden müssen" (Apostelgeschichte 4: 12).

Zur Rechtfertigung Jehovas und im Namen Christi, gemäß seinem Gebot
in Matthäus 24: 14, wird zu deinem persönlichen Nutzen dir trotz Lebensgefahr
diese Botschaft übermittelt von

JEHOVAS ZEUGEN IN DEUTSCHLAND

abführen. Sie spüren den leisen Widerstand der Dorfbevölkerung, und das ist ihnen außerordentlich peinlich.

Bei den Pflasterern habe ich auch gearbeitet. Der Meister meinte, ich würde mich geschickt anstellen. Von da an habe ich die Vorarbeit geleistet. Das Arbeitskarussell dreht sich weiter, und ich lande bei den Malern und Anstreichern in der Dorfschaft Berg. In einer Verfolgungszeit kann man zumindest seine Vielseitigkeit unterstreichen, denke ich noch so. Ein Haushalt nach dem anderen wird nun tapeziert und renoviert. Ein kleiner Junge, der Sohn unseres Arbeitgebers, lädt meinen Bruder und mich zum Dank für eine gute Arbeit zu einem gemütlichen Theaterabend ein, wobei er ein Gedicht aufsagen müsse.

Das Dorftheater spielt sich im Gastzimmer einer Wirtschaft ab, die vollgestopft ist mit Männern. Wir beide mittendrin kommen uns etwas merkwürdig vor. Nach gemütlichem Feierabend sieht es nicht unbedingt aus. Die Polizei trifft ein, und SA-Leute füllen langsam den Saal. Dann beginnt das Programm mit erhobener Hand und dem Anstimmen des Deutschlandliedes. Nun ist uns schon klar, der behagliche Theaterabend entpuppt sich als ein SA-Kameradschaftsabend.

Nach dem ersten Akt folgt das »Horst-Wessel-Lied«, das Kampflied der NSDAP. Ein schöner Schlamassel bahnt sich da an, und wir kommen nicht heraus. Erwin schaut sich ängstlich um, da man uns laufend den Ellbogen in die Seite rammt, um anzudeuten, daß wir aufzustehen haben. Wir bleiben sitzen und raunen uns zu: »Ruhe bewahren!« Dann wird die Stimmung lockerer. Bohnenschätzen ist angesagt. Man muß die Menge schätzen, die Bohnen unterschiedlicher Größe in einem Zweiliterglas einnehmen. Ausgerechnet der Polizeioberst kommt gegen mich ins Stechen um den ersten Preis, den ich auch noch gewinne. Erstaunlicherweise akzeptieren die Leute dies, obwohl wir nicht in ihre Lieder eingestimmt haben.

Der Dorfchronist Robert Menche schreibt später: *»Überall Erfolge, Feste, Kundgebungen, Jubel und überall Gesang. Zu keiner Zeit wurde so viel gesungen, wie in diesen Jahren. Nicht nur beim Arbeitsdienst, beim Wehrdienst "Ein Lied, eins drei, vier ..." überall wo Gruppen zusammen waren, nicht nur bei der organisierten Jugend, HJ und BdM, erklangen Lieder. Wenn es abends zum Tanz ging, wurde gesungen, wie auch beim Zusammensein am Sauerborn oder sonstwo. Und doch war das alles nur die eine Seite in diesen Jahren, die schöne und gute des Januskopfes Nationalsozialismus. Ein großer Teil der Bevölkerung ließ sich blenden und mitreißen, und doch gab es auch unter unseren Vätern viele, die argwöhnisch das Unheil schon witterten. In unserem Dorf gab es keine Juden, deshalb mußten Andersdenkende als Ersatz herhalten. Denn irgendeinen Gegner mußte es doch geben, den man bekämpfen mußte und den man schikanieren konnte. Da war zunächst die Familie Hollweg. Frau Hollweg war als Kriegerwitwe mit neun Kindern 1918 von Remscheid nach Marienfels gekommen. Frau Hollweg war überzeugte und eifrige Anhängerin der Ernsten Bibelforscher, den heutigen Zeugen Jehovas. Von ihren Kindern nahm besonders der* im Jahre 1910 geborene Max die Lehre ernst. Er war es dann, der immer wieder verhaftet, verhört und schließlich in einem KZ einsitzen mußte. Glücklicherweise konnte er diese schreckliche Haftzeit überstehen und danach in der Nähe von Paderborn eine neue Heimat und Existenz finden.«

Original-Zitat aus:
Menche, Robert (1990, Seite 199).
Marienfels. Geschichte des Dorfes.
Marienfels: Ortsgemeinde.

Die Nationalsozialisten bauen ein Feindbild auf, das sie in den Städten und größeren Orten in den Juden finden. In unserem Ort gibt es niemanden aus dieser Bevölkerungsgruppe, daher müssen wir herhalten, zumal wir den gleichen biblischen Gott »Jahwe« oder »Jehova« anbeten.

Anna, meine sowohl leibliche Schwester als auch Glaubenschwester, leidet unter diesen Verhältnissen ähnlich, zudem macht sie sich besonders Sorgen um unsere älter werdende Mutter. Anna wird im jugendlichen Alter elfmal operiert. Sie befindet sich teils mehr im Krankenhaus als zu Hause. Anna ist unverheiratet und bekommt einfach kein Arbeitsverhältnis, demzufolge ist sie noch nicht einmal krankenversichert.

Wenn ich wieder einmal die Arbeit verloren habe und mich arbeitslos bei der Behörde melde, stoße ich immer wieder auf Schwierigkeiten. Ich bin bei meinen Arbeitsverhältnissen regulär beschäftigt, habe bis dahin auch einen Anteil in die Arbeitslosenversicherung eingezahlt, und daraus resultiert ein nicht unangebrachter Anspruch auf eine Leistung. Drei- beziehungsweise viermal versuche ich wenigstens etwas Geld beim Amt zu bekommen, aber man belehrt mich, was ich zuerst zu sagen habe: »Das heißt bei uns: Heil Hitler!« Zu diesem Gruß kann ich mich einfach nicht hinreißen lassen und radle ohne Arbeitslosengeld nach Hause.

Beim Gärtner finde ich wenigstens etwas Broterwerb für eine Mark pro Tag und ein bißchen zu essen. Kurz vor meiner Verhaftung fahre ich jede Woche ins Krankenhaus zu meiner Schwester, um ihr frische Wäsche zu bringen und etwas über Gott und die Welt zu reden. Wir sprechen uns gegenseitig Trost zu und ermuntern uns, unserer Überzeugung gemäß treu auszuharren. Anna geht es gesundheitlich immer schlechter, selbst der Arzt hat wenig Hoffnung. Wir haben beide die Empfindung, voneinander Abschied nehmen zu müssen. Ich erzähle ihr, daß ich nun endgültig verhaftet werde und in ein Konzentrationslager komme, mich aber nicht vor den Grausamkeiten, von denen ich aus Erfahrungsberichten anderer Brüdern bereits wußte, fürchten würde. Sie schluchzt und weint, und ich frage sie: »Was hast du denn bei deiner Operation gespürt?« »Nichts, ich hatte ja eine

Bürgermeisterhaus

Narkose«, antwortet Anna, »und wenn der Schöpfer mir das Bewußtsein nimmt oder eine Ohnmacht verursacht, mehr ist auch der Tod nicht.«

Wir machen uns klar, daß unser Tod nur zum Leben führt, wenn wir treu sind und ausharren, und nehmen voneinander Abschied. Auf dem Nachhauseweg bin ich ziemlich niedergeschlagen, da ich Anna beunruhigt habe. Gibt es wirklich einen Anlaß oder den geringsten Verdacht, daß ich verhaftet werde? Mutter erzähle ich vorsichtshalber von unserem Abschiednehmen nichts.

Die Woche darauf geht es wieder ins Krankenhaus. Was soll ich Anna nach dem dramatischen Abschied sagen? Peinlich! ... oder vielleicht auch nicht. Mutter bemerkt meine innere Unruhe. Sie versucht immer wieder, mich aus meiner Versunkenheit zu holen, aber ohne Erfolg. An diesem Tag verabschiede ich mich nicht von ihr.

Marienfels

Dramatischer Wandel – sich nicht das Rückgrat verbiegen lassen

Meine Schwester und meine Mutter sehe ich nach diesen aufwühlenden Tagen sieben lange Jahre nicht wieder.

Wegen der Literatur, also der Versorgung mit geistiger Speise, wie wir Zeugen Jehovas es sagen, fahre ich noch über Oberlahnstein bei Bruder Peter Decker vorbei. Besser gesagt, es war so von mir geplant – vorbeifahren, kurz reinspringen, die Literatur unter den Arm klemmen und dann weiter. Aber ein mir fremder Mann empfängt mich barsch an seiner Tür. Man stellt meine Personalien fest, reißt die Wäsche, die ich auf dem Fahrrad für das Krankenhaus dabei habe, wirsch auseinander und zerpflückt meine Geldbörse. Man fährt mich im Befehlston an: »Stecken Sie das Geld ein, denn wo Sie jetzt hinkommen, brauchen Sie das.« »Ich habe kein Geld. Dieses Geld gehört meiner Mutter. Wo ihr mich hinbringt, können sie auch für mich sorgen«, entgegne ich kleinlaut.

Meine Krawatte wird abgerissen, und ich stecke eine erste Tracht Prügel ein. Die Familie Decker wird mit mir ins Frankfurter Untersuchungsgefängnis gebracht. Es wird eine Einzelzelle verordnet. Die Abmessungen sind ungefähr ein Meter zwanzig mal drei Meter. Ausgestattet ist das Ganze mit aufklappbarer Pritsche, damit man tagsüber den nötigen Auslauf hat, einem hochklappbaren Schemel, Toilette und einem Waschkübel. Eine Luke, durch die etwas Tageslicht fällt, befindet sich direkt unter der Decke. Zur geistigen Erbauung wird einem noch nicht einmal die Bibel der Nationalsozialisten »Mein Kampf« zugestanden. Als einzige Unterhaltung dienen die Wanzen, die mich mitunter böse zurichten.

Woche für Woche besucht mich der Gestapobeamte Müller mit einer neuen Liste von Brüdern, die ich kenntlich machen und identifizieren soll. Man versucht von Seiten der Gestapo, die Untergrundtätigkeit der Brüder zu unterbinden. Ansonsten liefere ich keinen Grund, mich zu bedrohen und mich zu mißhandeln.

Die einfühlsame Gefängniskost läßt im Laufe der Zeit meinen Magen rebellieren. Ein gewöhnlicher Polizeibeamter des Gefängnispersonals hat Mitleid und sagt zu mir: »So kann das aber nicht weitergehen.« Auch meine äußere Erscheinung läßt zu wünschen übrig. Mein Vollbart läßt die Gesichtszüge nur noch halbwegs erahnen, obwohl zweimal in der Woche der Friseur kommt. Der Polizeibeamte spricht mich an: »Warum lassen Sie sich nicht rasieren und die Haare schneiden?« Nun kann ich ihm erzählen, warum und weshalb ich kein Geld habe. Die Gefängnisverwaltung stellt an die Gestapo den Antrag, für meine hygienischen Bedürfnisse zu zahlen. Daraufhin kümmert sich der Polizeibeamte darum, daß die Wanzen ausgeräuchert werden und sich mein Magen durch eine Diät erholen kann.

Die Monate ziehen sich endlos lange hin. Die Unsicherheit beherrscht meine Gedanken. Wie steht es um Anna? Wie kommt Mutter durch? Was stellen meine Geschwister an? Wie geht es anderen Glaubensbrüdern? Ich grüble und grüble und reiße mich zusammen, um nicht auch körperlich zu zerbrechen. Es vergeht nicht eine einzige Woche ohne Gestapoverhör mit Mißhandlungen und der Drohung, mich zu erschießen.

Meiner in Frankfurt lebenden Schwester Elfriede ist nun endlich ein kurzer Gefängnisbesuch erlaubt worden. Anna sei wieder zu Hause, aber sie wäre sehr schwach, berichtet sie mir, und Mutter könne nicht auf Hilfe verzichten. Ich müsse nach Hause kommen. Bis jetzt hätten die Nachbarn geholfen. Auch der Besuch meiner Schwester bringt der Gestapo nicht den erhofften Erfolg. Nach einem Vierteljahr Einzelhaft und Mißhandlungen steht schließlich der Gestapomann Müller unter Erfolgszwang. Ihm kommt das Ermächtigungsgesetz zu Hilfe, wonach jedermann zu jeder Zeit in sogenannte »Schutzhaft« genommen werden kann. Dies besiegelt für die nächsten Jahre auch mein Geschick.

Gesundheitlich bin ich ziemlich am Ende. Ungewißheit rüttelt an mir. Für Stunden bin ich nun eingeklemmt in einer sechzig mal sechzig Zentimeter kleinen Stehzelle. Starke und unerträglich werdende Geräusche prasseln auf meinen Schädel ein. So endet meine letzte Vernehmung. Unter Fluchen und Toben schreit mich der Vernehmungsbeamte dann an: »Verflucht sei dein Vater, der dich so erzogen hat.« Bei einem der nächsten Transporte zum Konzentrationslager Buchenwald bin ich dabei.

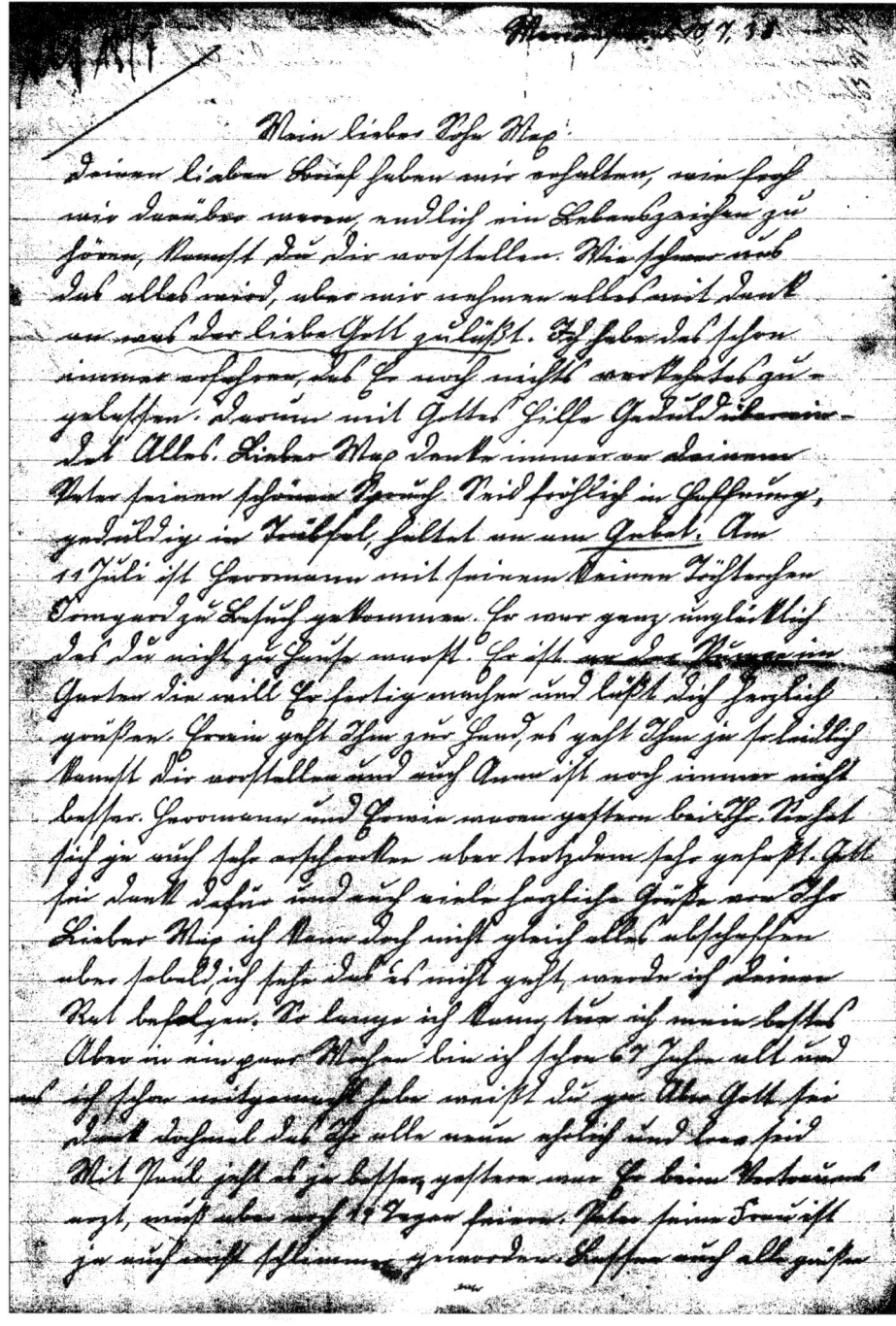

*Brief von meiner Mutter,
während meiner
Frankfurter Gefängniszeit*

- Vorderseite -

Peter kommt heute Abend einmal nach Hause und am Samstag will die
Maria mit der Kleinen einige Tage kommen. Die Helga schickt
Ihr Schwester mit nach Rußheim. Artur war auch am Mittwoch
hier. Er steht bei einer Spedition in Wiesbaden, läßt Dich
auch herzlich grüßen. Im Garten steht alles sehr schön was du
gemacht hast, es hat auch sehr schön geregnet. Das Kunn ist
angekommen wie du fort bist. Wenn noch möglich ist
mußt Hermann auch noch ein Kissen im Garten 2 m lang 3/4 breit
leinwand Linnen machen und bis Anna wiederkommt auch einen schön
Gruß von Ihr. Sonst ist noch somit alles gesund und weiß
du so grausig allein nur laß wohl und sei nochmal herzlich
gegrüßt von uns Allen besonders aber von deiner Dich
liebendergesinnte Mutter
Auf Wiedersehen

*Brief von meiner Mutter,
während meiner
Frankfurter Gefängniszeit*

- Rückseite -

*Lahnstein
in den dreißiger Jahren
(Postkartenmotiv –
Verlag Albert Nonn, Koblenz)*

*Meine Schwester Anna
mit ihrer Handarbeitsklasse
aus Marienfels,
Aufnahme zirka 1940*

Der »herzliche« Empfang eines herzlosen Ordnungssystems

Dicht eingezwängt und stehend werden wir, etliche Strafgefangene und ich, in einem fensterlosen Kastenwagen, einer sogenannten grünen Minna, ohne Pausen von Frankfurt nach Buchenwald gefahren. Die anderen Gefangenen sind Kriminelle, ich bin der einzige Zeuge Jehovas. Es wird noch nicht einmal angehalten, damit wir unsere Notdurft verrichten können. Einige können nicht anhalten und lassen ihrem Bedürfnis freien Lauf, infolgedessen kann man die Luft im Wagen schon fast durchschneiden. Nur hechelnd atmen alle, denn der Gestank wird unerträglich.

Mit Gummiknüppeln bereitet man uns prügelnd einen herzlichen Empfang und treibt uns zu der sogenannten politischen Abteilung. Hier wird man ordentlich und bürokratisch aufgenommen. Wir haben uns in Reih und Glied aufzustellen. Jedermann wird nach dem Zweck seiner Einlieferung befragt. Ich bin der letzte in der Reihe.

»Warum sind Sie hier?« »Weil ich ein Zeuge Jehovas bin und auch bleiben werde«, weiter komme ich nicht. »Hier antwortet man nur das, was man gefragt wird«, herrscht mich der SS-Mann rauh an und schlägt mich urplötzlich zu Boden.

Als ich aus dem Land der Träume wieder aufwache, liege ich draußen, über und über durchnäßt. Blut läuft mir aus den Mundwinkeln. Ich puste die ausgeschlagenen Zähne in den Schmutz. Ich sehe, wie höhnende SS-Schergen die Häftlinge zurechtstutzen. Die Gefangenen tragen gestreifte

Kattunkleider. Hagere Figuren verwischen die Spuren auf dem Kampfplatz und reinigen die grüne Minna.

Für uns Neuankömmlinge öffnet sich das Tor in ein durch Starkstrom gesichertes Gehege. Wir müssen erneut antreten und vernehmen eine Begrüßungsansprache von Joli, dem dritten Lagerführer. Später sagt man mir, er wäre der Sohn eines evangelischen Pastors. Er klärt uns über die Lagerordnung auf. Das hätte man in zehn Minuten verständlich sagen können, aber er verlängert das Ganze, um uns zu beeindrucken. Eindringlich eingeschüchtert sind wir spätestens, als er als Konsequenz aus einer Nichtbefolgung der Anordnungen lapidar anfügt: »... wird erschossen.« Verwirrt schauen wir uns um und wagen nicht, einen einzigen Schritt nach vorn zu gehen, bis uns ein Häftling von der Effektenkammer anspricht, dem wir im Gänsemarsch folgen.

Mit dem Gesetz, im allgemeinverständlichen Sinne, bin ich bis dahin noch nie in Konflikt gekommen. Auch in der dreimonatigen Untersuchungshaft habe ich nicht kriminell gehandelt. Mein einziges »Vergehen« liegt in der religiösen Betätigung, die in der Nazizeit verboten ist, begründet. Allein schon ein Zeuge Jehovas zu sein, ist ein Grund zur Verfolgung.

Ich werde der Strafkompanie zugeteilt. Militärisch exakt, aber wenig adrett erfolgt da das Einkleiden und das Kennzeichenannähen – violetter Winkel und ein schwarzer Punkt für den Strafblock sowie die Häftlingsnummer. Man kann sich wenigstens darauf verlassen, daß hier alles gut registriert und geplant wird, nichts wird dem Zufall überlassen. Der Blockälteste weist mir eine Schlafstätte zu, einen Verschlag aus stabilen Holzbohlen, Stockbett, dritte Etage. Ich bekomme eine Eßschüssel, einen Becher und ein Handtuch. Für drei bis vier Personen wird uns ein Spind zugeteilt. Und da sind noch ein Strohsack und eine Decke.

Über meine Welt fällt ein grauer Schleier, auch in meinen Träumen. Vor Kälte bibbere ich so sehr, daß das Gestell des Bettverschlages im Takt mitzittert. In meiner Verzweiflung will ich Jehova bitten, mir eine Erlösung durch den Tod zu schenken. Da haut mir mein Bettnachbar in die Rippen, flüsternd fragt er: »Wer bist du, und wo kommst du her?« Er erzählt, daß er ein Glaubensbruder, nämlich Erich Nikolaizig sei, zieht mich an sich und breitet beide Zudecken über uns aus. Dank seiner Körperwärme überstehe ich die Nacht. Frisch und halbwegs gekräftigt, nach »einem Schlaf wie in Abrahams Schoß«, kann ich mich morgens hochrappeln – und ich wollte schon aufgeben!

Die selbstlose Liebe der Glaubensbrüder, die Aufmunterungen und die aufopfernde Bereitschaft zu helfen, hat vielen von uns das Überleben gesichert.

Die Existenz in der Strafkompanie ist äußerst bedrückend. Mich hat man zu einer Transportkolonne eingeteilt. Die Wachtürme sind noch im Bau, und wir müssen die Baumaterialien heranschleppen. Buchenwald befindet sich zu diesem Zeitpunkt noch in der Aufbauphase und dient vorerst als Auffanglager.

»Alles im Laufschritt«, schreien die Posten, die unseren Weg säumen. Immerhin haben wir zu viert mit einer Trage zwei Zentner Baumaterial schnellen Schrittes zu schleppen. Als Hintermann hat man ganz schlechte Karten, da einem die Sicht zwangsläufig durch die Trage und den Rücken des Vordermannes versperrt ist. Plötzlich kommt man ohne Vorwarnung, vielleicht durch einen Baumstumpf, ins Trudeln und fällt in die aufplatzenden Zementsäcke. Zum Mißgeschick gesellt sich dann schnell ein um sich schlagender Wachposten, und man kann ausgiebig die Bekanntschaft mit harten Gewehrkolben machen. Um Verwundete und Kranke steht es ganz böse. Es gibt kein Krankenrevier. Verbandsmittel fehlen ebenfalls. Wunden verbinden wir mit Streifen, die wir aus unseren Hemden abtrennen.

Die Einteilung der Nazis in unterschiedlichste Menschengruppen wird auch auf das Lager übertragen. Gefangene lassen sich selbst ebenfalls von dieser Gliederung anstecken. Teilweise bösartiges Konkurrenzdenken und Intrigen werden durch die hierarchisch geordneten Rollen gefördert. Wie auch immer, es läuft einfach unharmonisch, wenn man an einem Tag eine aufgetragene Arbeit mit einem Kriminellen, Politischen, Asozialen und rassisch Verfolgten erledigen soll. Jeder scheint jedem im Wege zu sein. Gewöhnlich ist nach so einem stumpfsinnigen Arbeitsverlauf die Schulter, wegen des rücksichtslosen Verhaltens der verschiedenen Gefangenengruppierungen untereinander, bis aufs rohe Fleisch durchgescheuert. Es bleibt einem nichts anderes übrig, als den Holm der Trage mit den bloßen Händen zu halten. Aber in der Herbsteskälte und im Regen sterben die Hände ab. Das Blut tritt zurück, und vor Schmerz sind die Finger nicht mehr zu bewegen. Abends rücken wir schmutzig und teilweise durchnäßt ein. In der Strafbaracke selbst gibt es weder Wasser noch Waschraum.

Einhundertfünfzig bis zweihundert Häftlinge müssen sich, draußen im Freien, sieben Waschkübel und eine Regentonne Wasser teilen. Vorzugsweise stellen sich die Vorarbeiter und Blockältesten der Hierarchie entsprechend nach vorn, und sogar für sie reicht es kaum. Trotz alledem kann man sich vor Ungeziefer schützen. Ich helfe mir so, daß ich mit meiner Eßschüssel Wasser aus den Wegpfützen schöpfe und mich damit im Schutz der Barackenwand säubere.

Unser brutaler Blockführer, ein SS-Oberscharführer, holt mich eine Zeitlang jeden Morgen aus der Reihe und prügelt dermaßen auf mich ein, bis Mund und Nase blutig geschlagen sind. Trotz dieser perversen Behandlung bin ich mir sicher, daß mein Gott über seine Diener wacht.

Drei Wochen später haben wir einen neuen Blockführer und erfahren am darauf folgenden Tag, daß sich der alte, unbarmherzige SS-Mann erhängt hat. Offensichtlich ist ihm sein Verhalten, auch den eigenen Kameraden gegenüber, zum Fallstrick geworden.

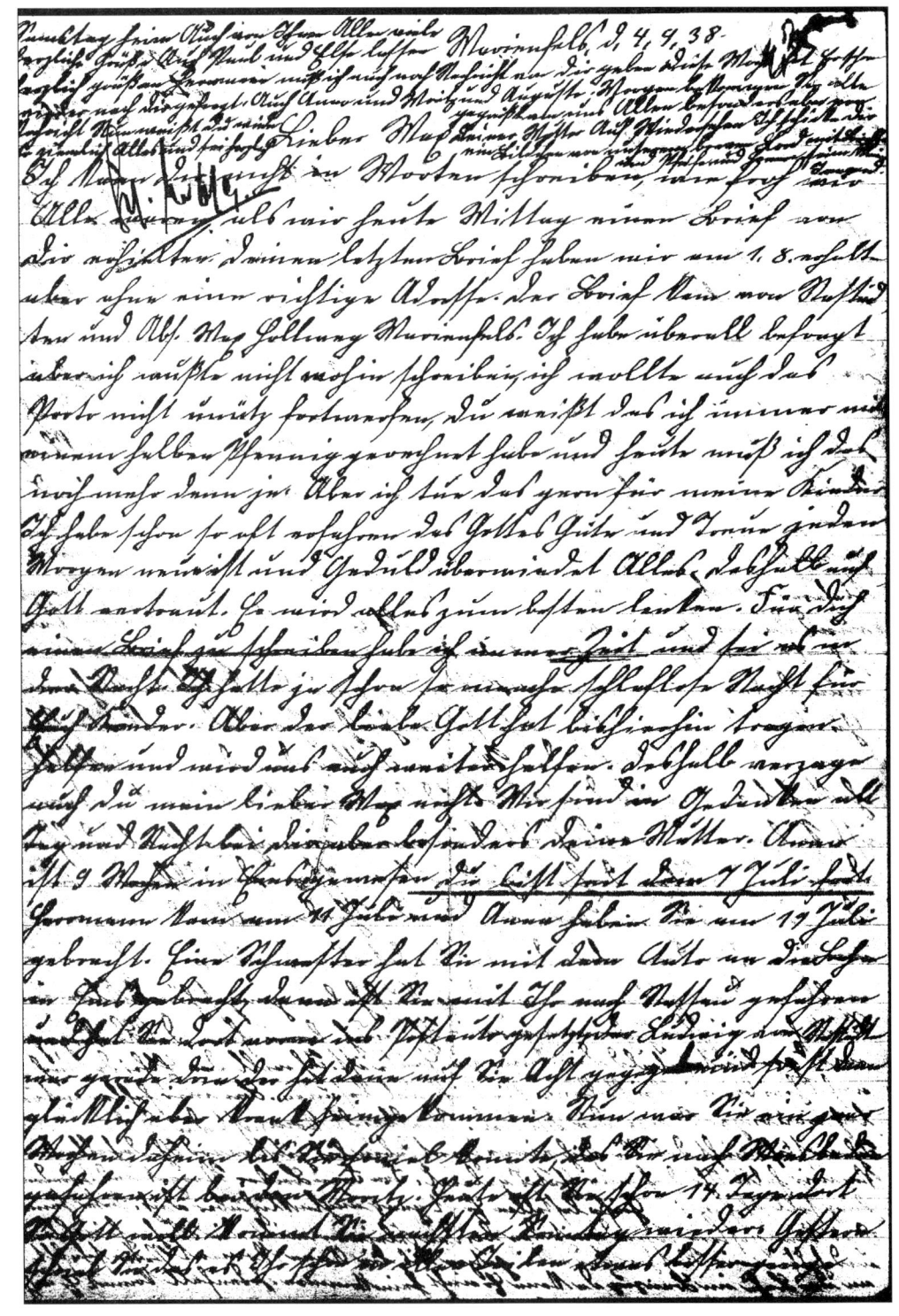

Brief von meiner Mutter, während meiner Zeit im KZ Buchenwald
- Vorderseite -

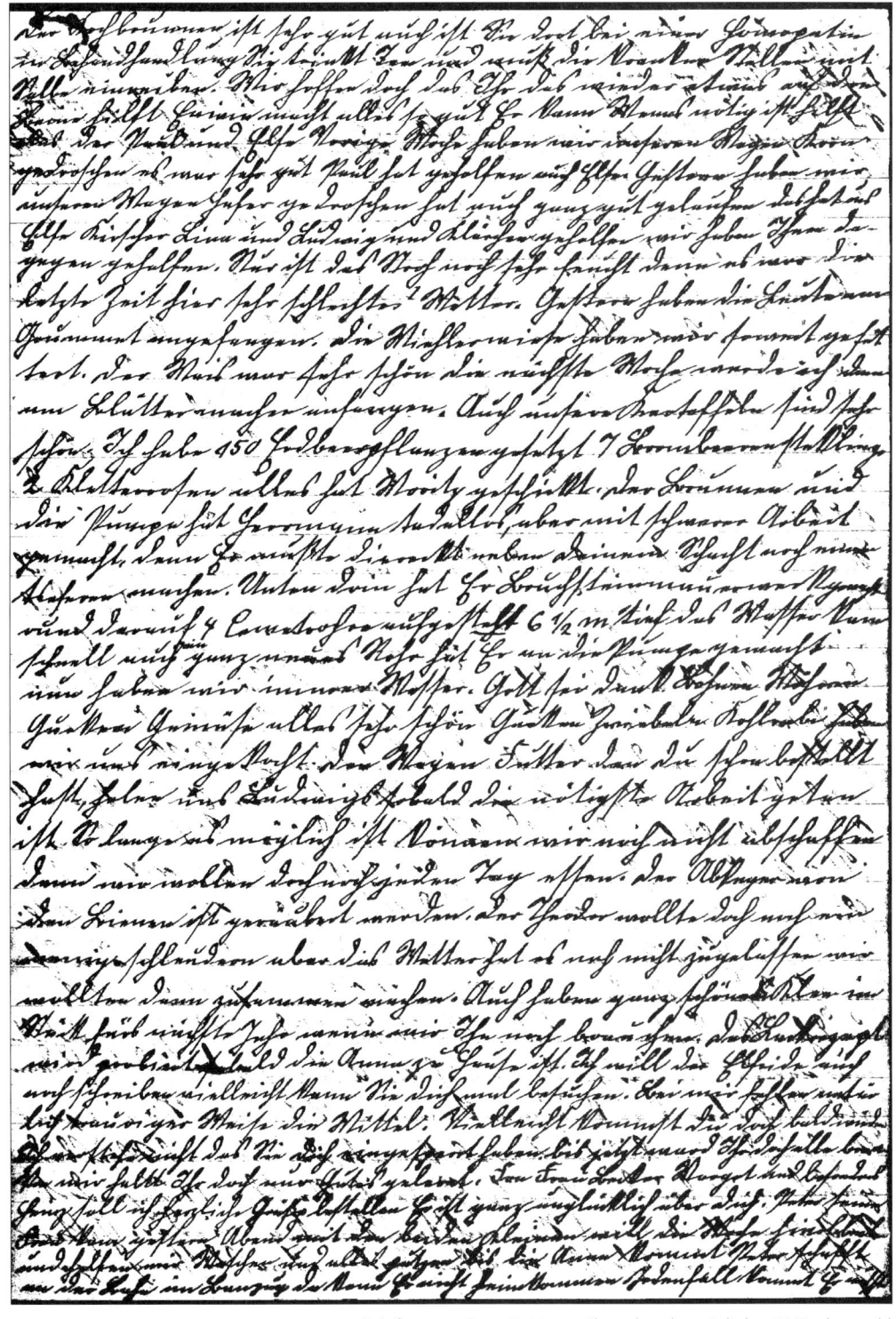

Brief von meiner Mutter, während meiner Zeit im KZ Buchenwald
- Rückseite -

Mitgefangene erleben eine ähnlich schreckliche Behandlung. Morgens steckt noch der Frost in den Knochen, und man kann nichts anfassen. Da die Symptome nun massiv auftreten, hat die Lagerleitung auf dem Appellplatz eine »Erste Hilfe« eingerichtet: Wechselbäder, heiß und kalt – man hat zwischen zwei großen Kübeln hin und her zu springen. Viele haben eitrige Wunden – alle ohne Ausnahme haben aufgebrochene Frostbeulen. Mir läuft ein Schauer über den Rücken, und ich habe Angst, mich noch weiter zu infizieren. Niedergeknüppeltwerden und das Einstecken von Prügel sind die Folge. »Du meinst wohl, du wärst was besseres als diese?« dabei deutet der SS-Mann auf Roma, Asoziale, Homosexuelle und andere. Um die gemeine Prozedur noch etwas zu verlängern, hat man sich an einem langen Tisch verbinden zu lassen. Die Wunden werden wollüstig mit Gaze ausgerieben. Vor Schmerzen schreit man laut auf. Blut strömt über die Tischplatte. Einige machen vor Angst und unsäglichem Schmerz unter sich.

Nachdem ich diese Verfahrensweise ein drittes Mal über mich habe ergehen lassen, murmele ich auf Remscheider Platt vor mich hin: »Au wier!« »Du bist von Remscheid? Das konntest du mir auch früher sagen, da kann ich auch anders«, antwortet mir ein politischer Häftling. Von nun an muß ich zu ihm kommen. Er nimmt Rücksicht, und meine Hände heilen.

Erich Nikolaizig wird als Maurer beschäftigt und hat so nichts mit der Strafkompanie zu tun. Nach acht harten

Wochen holt er mich durch seinen Kapo in seine Gruppe. Nun wird nicht mehr im Laufschritt gearbeitet. Einmal im halben Jahr dürfen wir einen Brief schreiben, aber das empfinde ich persönlich nicht als besondere Härte.

Während meiner insgesamt siebenjährigen Haftzeit werde ich allerdings in dieser Hinsicht versorgt. Anna und Mutter schreiben mir regelmäßig Briefe, beten für mich und bitten mich, in Treue auszuharren. Dies schreibe ich der treusorgenden Hand unseres Gottes Jehova zu. In keinem Brief beklagen sie sich.

Schlimm sind die beiden harten Winter. Trotz Frost müssen wir zur Baustelle ausrücken. Eingesetzte Frostschutzmittel nutzen nichts. Der Mörtel erstarrt auf der Kelle. Weil sich meine Glaubensbrüder weigern, Wolljacken und Wollsocken für das Militär anzufertigen oder sich zuschicken zu lassen, nimmt man uns sämtliche warme Kleidung weg. Die Zementtüten bestehen jedoch aus einer dreilagigen Papierschicht, die wir sauber heraustrennen und zum Schutz vor der klirrenden Kälte unter unsere Jacken ziehen. Leider fällt dies auf, und es wird bei Strafe verboten. Wird man erwischt, handelt man sich fünfundzwanzig Hiebe auf dem sogenannten Bock ein. Der Peiniger versteht unter Hieben selbstredend etwas anderes als der zu Strafende – das schlägt sich ja im gesamten Sprachgebrauch der Nazis nieder. Terror wird sprachlich verharmlost, so lassen sich Spuren gut verwischen. Man ist Opfer und empfindet doch eine Art Mitschuld für seine mißliche Situation.

Unvermeidlich stellt sich bei mir eine Lungenentzündung ein. Ich kann nicht mehr gehen und werde von meinen Glaubensbrüdern zur Baustelle getragen. Hier legen sie mich an die Seite und decken mich so gut es geht mit ihren Mänteln zu. SS-Männer entdecken mich, drehen mich mit den Stiefeln zur Seite, lassen mich aber liegen. Meist geht es nicht so glatt ab. Gewöhnlich wird der Betreffende hart bestraft. Abends tragen mich die Brüder auf ihren Schultern wieder in die Unterkunft. Sie legen mich bewußtlos auf eine Bahre in den Waschraum. Dort läßt man gewöhnlich die Sterbenden liegen. Morgens werden die Leichen hinausgetragen und gesammelt nach Weimar ins Krematorium gebracht.

Meist bin ich durch das hohe Fieber ohne Besinnung, so daß ich nicht mitbekomme, wer mich mitten in der Nacht ins Krankenrevier schleift. Die Aufsicht führt hier Karl Beix, ein ehemaliger Reichstagsabgeordneter der Kommunistischen Partei. Er mißt mein Fieber und nimmt das Risiko auf sich, mich ins Bett zu legen und zu pflegen, obwohl ich ein Zeuge Jehovas bin. Karl Beix sorgt wirklich väterlich für mich und bringt mich wieder auf die Beine. Unangenehm ist mir, daß ich ihm meinen Dank jetzt nicht vergelten kann. Ergriffen sagt er, daß ich ihn einmal in den Arm nehmen soll. Herzlich drücke ich ihn. Ich stehe in seiner Schuld. Angesichts der tagtäglich brutalen Behandlung leidet das seelische Empfinden bei jedem von uns. Eine von Herzen kommende Dankbarkeit ist das mindeste, was ich ihm schuldig bin.

Karl Beix redet auf mich ein, noch im Krankenrevier zu bleiben, da ich immer noch zu klapprig bin. Bei Nacht und Nebel gehe ich allerdings fluchtartig in meine Maurerkolonne zurück. Viele langjährige Häftlinge verfallen der Homosexualität.

Halbkrank oder halbgesund bin ich wieder bei Erich Nikolaizig in der Baukolonne, aber bei meiner momentanen Verfassung falle ich den Brüdern eher zur Last. Mein Zustand verschlechtert sich dermaßen, daß ich die Wassersucht bekomme. Vor Hungerödemen kann ich kaum noch aus den Augen sehen.

Alles Eßbare an Wildpflanzen stopfen die Gefangenen in ihrer Verzweifelung in sich hinein. Für mich bleibt nur noch die Ackerdistel übrig. Wegen der furchtbaren Stacheln wagt sich niemand daran. Mit den Fingernägeln zwicke ich vorsichtig die Stacheln ab, reinige die Blätter in einer Pfütze und genieße den Salat. Offensichtlich ist das genau das Richtige, denn meine Wassersucht verschwindet nach und nach. Ich habe auch keine Bedenken, denn als Achtjähriger mußte ich Ziegen hüten. Dabei war mir aufgefallen, daß die Tiere abends wesentlich mehr Milch gaben, wenn sie vermehrt Disteln statt Klee fraßen. Folglich wird die Distel wohl sehr viel mehr Kraft enthalten oder entfalten können, denke ich mir.

Andere Mitgefangene verspeisen Regenwürmer, einer ißt Maikäfer. Unser ganzes Häftlingslager testet man in der allgemeinen Belastbarkeit, indem man uns vier Tage lang weder Essen noch Trinken gibt. Am vierten Tag dürfen wir eine Tasse Mehlsuppe zu uns nehmen. Vielleicht soll das Ganze, unter nachvollziehbaren Bedingungen, wissenschaftlich ausgewertet werden, denn wir Hungernden werden ununterbrochen von den mit Doppelschützen bewehrten Wachtürmen kontrollierend beobachtet.

Ein sogenannter Asozialer, der im bürgerlichen Leben einer Arbeit als Schlachter nachgegangen ist, wird sehr hart bestraft. Er hat zwei eingegangene Schweine wieder ausgebuddelt, die drei Wochen zuvor im kleinen Industriehof verscharrt wurden, und in seiner Not den Speck verzehrt. Bruder Max Loschwitz hat die Schweine mit Abfällen der SS-Küche füttern müssen, aber ihm waren die Tiere einfach eingegangen. Max wird daraufhin mit fünfundsiebzig Stockschlägen auf dem Bock bestraft, aufgeteilt in drei Raten. Das Humanitätsverständnis der Folterer oder die Gier nach der Qual schreibt vor, daß nur fünfundzwanzig Schläge auf einmal erfolgen dürfen – vermutlich soll die Arbeitskraft möglichst lange erhalten bleiben. Wenn die blutigen Stellen am Gesäß gerade geheilt sind, kommt unweigerlich die nächste Rate.

Manche Brüder haben eine, zumindest körperlich, leichtere Arbeit zu verrichten: Töpfern, Bildhauerarbeiten, Malen, Herstellung von Kunstgewerbeartikeln und das Präparieren von Schrumpfköpfen. Tätowierte Häftlinge liefern das Material dafür. Mir ist gesagt worden, daß der Lagerführer

Koch Lampenschirme sowie Hosenträger davon herstellen läßt. (In Buchenwald, in der ständigen Ausstellung der KZ-Gedenkstätte, sind noch heute gegerbte und präparierte Hautpartien zu sehen.)

»*Im Juli 1937 wurde auf dem Ettersberg bei Weimar in Thüringen das Konzentrationslager Buchenwald errichtet. Zunächst war es für politische Gegner des Naziregimes, vorbestrafte Kriminelle und sogenannte Asoziale, Juden, Zeugen Jehovas und Homosexuelle bestimmt, mit Beginn des 2. Weltkrieges wurden zunehmend Menschen aus anderen Ländern eingeliefert. Bei der Befreiung waren 95% der Häftlinge keine Deutschen. Vor allem nach 1943 wurden in Buchenwald und in seinen insgesamt 136 Außenkommandos KZ-Häftlinge – darunter seit Herbst 1944 auch Frauen – rücksichtslos in der Rüstungsindustrie ausgebeutet. Obwohl das Lager kein Ort des planmäßigen Völkermords war, fanden Massentötungen von Kriegsgefangenen statt, kamen viele Häftlinge bei medizinischen Versuchen und durch die Willkür der SS ums Leben. Durch Aussonderung von Häftlingen in die Vernichtungslager war Buchenwald in den Vernichtungsapparat des Nationalsozialismus integriert.*«

Original-Zitat aus: Härtl, Ursula (1996). Gedenkstätte Buchenwald. (Informations-Faltblatt zur Gedenkstätte).

*Der »Empfang«
in Buchenwald*

Pflichterfüllung in einem faschistischen System wirkt sich Andersdenkenden gegenüber unmenschlich aus

Nach der sogenannten Reichskristallnacht im November 1938 bekommen wir enormen Zuwachs. Fünftausend Juden kommen zu uns. Diese armen Menschen sind in fünf große Zelte eingesperrt, die man unter Quarantäne stellt. Man hat schon viele kleinbürgerliche und mittelständische jüdische Bürger inhaftiert, aber jetzt sind es rundweg Akademiker: Ärzte, Rechtsanwälte, Wissenschaftler und Professoren. Aus ihrem Gehabe und ihrer Zivilbekleidung erkennt man ihren ursprünglichen gesellschaftlichen Status. Um alle unterzubringen, bauen die Gefangenen fünf bis sechs Schlafstellen übereinander. Damit die Lagerstätten nicht umfallen, werden die Zelte von außen mit Stangen abgestützt. Die Verpflegung der Neuankömmlinge besteht nur aus einem Viertel unserer Ration. Hygienische Einrichtungen existieren nicht. Ihre Notdurft verrichten diese bemitleidenswerten Menschen, ohne Toilettenpapier auf offenen Gruben, über denen ein sogenannter Donnerbalken befestigt ist. Nach vierzehn Tagen haben wir unausweichlich die Ruhr im Lager. Bedingt durch den starken Stuhlgang, der jedoch nur Wasser und Blut freigibt, schaffen es viele nicht mehr, auf ihre Schlafstelle ins dritte, vierte oder fünfte Stockwerk zu steigen, oder sie trauen sich einfach nicht mehr hoch. Einige Juden hatten viele Geldscheine in ihrer Kleidung eingenäht. Das Papiergeld dient ihnen jetzt als Ersatz für Toilettenpapier. Viele dieser bedauernswerten Gefangenen fallen völlig entkräftet rücklings in die primitiven Abortgruben und sterben.

»Leichenträger ans Tor!« lautet in jenen Tagen der erste Kommandoton am Morgen. Die über Nacht Gestorbenen werden mit langen Brandhaken aus der Latrine gezogen und mit Wasser abgespritzt und gesäubert, dann durchsucht man ihre Kleidung nach eingenähten Geldscheinen. Zum Abtransport werden die Leichen auf den Appellplatz gelegt. Beim morgendlichen Zählappell und der Einteilung in die Arbeitskommandos registrieren wir jeweils die Leichen. An einem Morgen zähle ich vergleichsweise vierundsiebzig Tote. Mit Lastwagen fährt man die Leichen nach Weimar zur Verbrennungsstätte. Wir hören, daß bei einem Transport eine Leiche in den Straßen von Weimar vom Lastwagen gefallen ist. Die Bevölkerung empört sich darüber. Daraufhin wird in Buchenwald ein eigenes Krematorium gebaut.

Aufgrund der schweren Arbeit quäle ich mich mit einem Leistenbruch herum und trage ein selbstgebasteltes Bruchband. Von meiner neuen Erkrankung erfährt Karl Beix und meldet mich, um mir einen Gefallen zu tun, bei dem Arzt für das Häftlingslager zwecks Operation an.

Die Bedingungen der Lagerleitung sehen so aus, daß der Häftling in neun Tagen wieder arbeitsfähig sein muß. Ich zucke zusammen, als meine Häftlingsnummer durch den Lautsprecher aufgerufen wird, mit der Ermahnung, umgehend ins Krankenrevier zu kommen.

Abends werde ich vorbereitet. Der Eingriff soll am nächsten Morgen stattfinden. In Ermangelung eines Anästhesiearztes stehen vier kräftige Häftlinge bereit, um mich an Armen und Beinen festzuhalten. Der junge Chirurg sieht in seiner SS-Uniform nicht gerade vertrauenerweckend aus, aber mich tröstet die Gewißheit, daß Jehova immer zugegen ist. Die Operation verläuft ohne Komplikationen. Fristgerecht werde ich am neunten Tag entlassen.

Termingemäß beginnt wieder der volle Arbeitseinsatz, ohne irgendeine Schonung. Ich muß Holz hacken. Nach gut einer Stunde bricht die Operationsnarbe auf, und meine Därme rutschen bis unter die Knie. Ich bin nun in tausend Nöten, denn die Gefahr naht von allen Seiten. Wenn ein Vorarbeiter meine Not wahrnimmt, komme ich in allergrößte Schwierigkeiten. Meist sind Berufsverbrecher als Kapos eingesetzt. Wenn sie so ein Malheur sehen, erschlagen sie den ihrer Meinung nach Unheilbaren, weil sie dann abends dessen Tagesverpflegung einnehmen können.

In einem unbeobachteten Augenblick lasse ich mich auf den Rücken fallen und schiebe mir die Därme wieder in den Unterleib. Mit der linken Hand halte ich die Wunde zu und versuche, mit der rechten unauffällig weiter zu hacken. Plötzlich heult die Sirene auf. Durch die Lautsprecher erschallt das Kommando: »Das ganze Lager sofort antreten!« Im Laufschritt müssen wir uns ranhalten, da der Holzplatz am äußersten Ende des Lagers liegt. Der Bibelforscherblock, das sind immerhin vierhundertzwanzig Brüder, wird direkt zum Tor zitiert.

»Alles strammstehen und herhören! Alle Häftlinge, die bei der Hitze ohnmächtig werden, werden in den Schatten gebracht, außer die Bibelforscher!« Man hat stumm, still und regungslos dazustehen – stundenlang. Die Sonne brennt unbarmherzig. Es ist die Mittagszeit, und bei zirka fünfunddreißig Grad stehen wir über einen Zeitraum von vier langen Stunden.

Bis hierher habe ich es geschafft, ich will durchhalten, halte allerdings meine Därme in der Hand. Neben mir stehen treue Brüder, die ebenfalls nicht aufgeben. Wackere Menschen sind dabei, friedliche Menschen, die nun zu einer biblischen Ansicht bezüglich des Krieges gelangt sind, Veteranen aus dem 1. Weltkrieg, die Bein, Arm oder Hand verloren haben. Sie kämpfen standhaft um ihr Leben, und ich kann mit ihnen ausharren. Mir wird aber schwarz vor Augen, und ich flehe zu Jehova: »Laß die Schergen erkennen, daß du mit deinem Volk bist.«

Eisern schaffe ich es, auf meinen Beinen zu bleiben und sehe, wie anderen Häftlingen schlecht wird. Immer mehr sacken zusammen, aber von den Glaubensbrüdern fällt nicht einer in Ohnmacht.

Nach vier qualvollen Stunden kommt das erlösende Kommando: »Alles wegtreten!«

Ich kann mich nicht mehr von der Stelle rühren. Eine Art Wundstarrkrampf läßt keine Bewegung zu. Brüder greifen mir unter die Arme und schleppen mich ins Krankenrevier. Als ich nun so hilflos auf dem Krankenlager verharre, kommen mir das erste Mal bittere Tränen.

Nach einer Weile fragt mich Karl Beix, warum ich bei meiner Bewußtlosigkeit immer ein Lächeln im Antlitz habe. Ich weiß keine andere Antwort, als daß ich wahrscheinlich gemäß meinem Gelübde, »treu bis in den Tod zu sein«, nun mein irdisches Leben aushauchen werde. Ich nutze die vermeintlich noch bleibende Zeit und erzähle ihm von meinem himmlischen Vater und meiner Hoffnung.

Tag für Tag vergeht, und die Wunde heilt. Ich kann mich wieder voll bewegen. Allerdings muß ich mein ursprüngliches Bruchband, einen alten Strick, wieder anlegen. Karl redet erneut auf mich ein, um mich dazu zu bewegen, mich im Krankenrevier zu erholen. Aber durch meine letzten Beobachtungen aufgeschreckt, habe ich unverzüglich meine Beine in die Hand genommen. Erich Nikolaizig hat mich wieder in seine Kolonne genommen, obwohl ich eher eine Belastung als eine Hilfe bin. Wir müssen unterirdisch Heizungskonsolen setzen, so kann ich mich der ständigen Beobachtung durch die SS entziehen. In diesem Kommando stecken Häftlinge jedweder Couleur: Kriminelle, Asoziale, Politische, Homosexuelle, Juden und ich als Bibelforscher. Insgesamt sind wir vierunddreißig. Ich bin der einzige Facharbeiter.

Angewiesen werden wir von einem Zivilmonteur namens Lichtenfeld. Zitternd stehe ich nun mitten in unserem Haufen und höre seine Schimpfkanonaden: »Wegen eurer

Faulheit lasse ich mich nicht als Saboteur einsperren! Wenn ihr bis Freitag die achtzig Konsolen nicht anständig gesetzt habt, bekommt ihr wieder eine Meldung.« Herr Lichtenfeld, ich sehe es ihm an, ist völlig ratlos. Beim allabendlichen Strafexerzieren gibt es gewöhnlich Tote und Verletzte.

Plötzlich falle ich Lichtenfeld ins Auge. »Was willst du denn hier?« fragt er mich. »Ich wurde hier zugeteilt«, antworte ich kleinlaut. »Halbtote! Was bist du von Beruf?« fragt Lichtenfeld. Meine Antwort: »Maurer.« Lichtenfeld sagt: »Du bleibst hier. Auf mich nimmt man hier auch keine Rücksicht.« »Wenn ich heute abend strafexerzieren muß, dann haben Sie mich morgen auch als Maurer nicht mehr. Die angekündigte Bestrafung stehe ich nicht durch.«

»Aber was soll ich tun?« fragt Lichtenfeld. Zitternd rate ich ihm, das ganze Kommando zu entlassen: »Ich bringe Ihnen morgen die Arbeiter mit, die ich brauche, um Ihnen Ihre Arbeit termingerecht fertigzustellen.« Lichtenfeld erklärt sich damit einverstanden.

Nun bin ich in der Schwierigkeit, Männer zu finden, die mich unterstützen werden. Glücklicherweise haben sich zwei Brüder bereiterklärt mitzuziehen.

Morgens stelle ich Herrn Lichtenfeld meine beiden Arbeiter vor. Er ist entsetzt. »Wo sind die anderen?« herrscht er mich an. »Ich bin den ganzen Tag unterwegs und komme erst am Abend zurück.« Lichtenfeld schüttelt mit dem Kopf.

Ich gebe mir alle Mühe, ihn zu beruhigen: »Ich weiß sehr wohl, daß eine zweiprozentige Steigung eingehalten werden muß. Auf einhundert Meter werden achtzig Konsolen, aus Achterträgern bestehend und mit einem Dehnungsbogen versehen, eingesetzt.« Ich erwähne noch, welches Werkzeug wir dazu benötigen. Mißmutig und mit gemischten Gefühlen willigt er ein, da er nun dringend fort muß.

Wir drei machen uns flink an die Arbeit. Alles ist schnell abgeklärt, und die Sache geht uns gut von der Hand. Schließlich schaffen wir es alleine, ohne die riesige Mannschaft. Am Abend taucht Lichtenfeld auf, und wir übergeben ihm stolz unsere Tagesleistung. Statt ein Lob zu ernten, schimpft er uns aus: »Die kann ich alle wieder rausreißen. Du hast nicht einmal die Schlauchwaage aus der Werkstatt geholt.«

Es wird schon recht dunkel, und zum Visieren ist es fast zu spät, aber wir sind überzeugt, daß uns Jehova ein zuverlässiges und präzises Auge gegeben hat. Ich lasse mir Lichtenfelds Taschenlampe geben, laufe ans andere Ende und lasse ihn peilen. Vorher habe ich ihm noch mutig angeboten, für jede falsch gesetzte Konsole fünfundzwanzig Stockhiebe kassieren zu wollen.

Lichtenfeld peilt, schaut rüber, visiert mich an und läuft im Handumdrehen auf mich zu, drückt mich vor Dankbarkeit, daß ich gar nicht so schnell mitdenken kann, und entschuldigt sich für sein Mißtrauen.

»Morgen dürft ihr euch ausruhen«, antwortet Lichtenfeld, als ich ihn nach Arbeit für den nächsten Tag frage. Meine Erwiderung: »Das wäre schön, aber das bestimmt die SS!«

Am anderen Morgen nimmt uns niemand in sein Arbeitskommando auf. Kommandoführer Becker sieht, daß wir augenscheinlich nichts zu tun haben und notiert sich unsere Nummern. Fünfundzwanzig Stockhiebe auf dem Bock sind uns sicher. Behende suche ich nach unserem Zivilmonteur, und keuchend berichte ich ihm, was geschehen ist. Er läuft zügig hinter dem über den Platz marschierenden Becker her und verlangt, unsere Nummern von der Liste zu löschen.

Schimpfend und erzürnt steht Lichtenfeld vor Becker, der in dieser Auseinandersetzung plötzlich den Revolver zieht und auf den Zivilmonteur anlegt. Mir läuft ein kalter Schauer über den Rücken. Hilflos beobachte ich aus einer Deckung heraus das Schauspiel, raffe mich auf und berichte meinen beiden gestrigen Arbeitskollegen Paul Hoh und Gustav Först von der Zuspitzung der Ereignisse. Wir sind bestürzt, müssen jetzt aber unter Aufsicht, jeder für sich, selbst hart weiterarbeiten. Hoffentlich lebt unser Zivilmonteur noch. Er ist gar nicht so verkehrt. Ungewiß und mit einem schwer beladenen Gewissen, auch weil ich Paul und Gustav in eine solche Lage gebracht habe, rücke ich abends ein.

Mein Hinterteil kribbelt, die Schläge fühlt man schon vorab auf sich einprasseln. Normalerweise steht abends beim

Einrücken der Bock bereit. Zwei kräftige, über das ganze Gesicht dümmlich grinsende Berufsverbrecher empfangen dann die Opfer. In einer Drohgebärde schlagen sie sich den Schlagstock klatschend in die offene Faust, breitbeinig und autoritär dastehend.

Aber es ist nichts zu sehen. Mit ungutem Gefühl gehe ich mich säubern. Plötzlich kommt die Durchsage: »Die Nummer 4354 sofort ans Tor!« Nur meine Nummer fällt. Ich zögere noch, aber die Nummern von Paul und Gustav werden nicht aufgerufen. Ich stürme in gespannter Erwartung ans Tor. Man hat strammzustehen.

Der Schliesser öffnet das Tor, und ich bin nicht wenig überrascht, den ersten Lagerführer Koch auf mich zukommen zu sehen. Den haben wir bis dahin, wenn wir Glück im Unglück haben, schon einmal von weitem sehen können. Pietätisch schreitet er direkt auf mich zu. Mit seinem feinen Reitstöckchen tickt er mir ein paarmal auf den Kopf und sagt:

»Na, du Himmelskomiker. Nun hast du es ja geschafft. Hör mir gut zu! Ab heute hat dir im ganzen Lager niemand mehr etwas zu sagen, außer der Zivilmonteur Lichtenfeld und ich. Wegtreten!«

Der Ausdruck »Himmelskomiker« läßt erahnen, in welcher Art das Gespräch zwischen Lagerführer und Zivilmonteur abgelaufen sein muß. Wir sind zudem davon überzeugt, daß uns unser himmlischer Vater beigestanden hat, und dafür danken wir ihm von ganzem Herzen.

Gustav ist wieder in das Strumpfstopfer-Kommando zurückgekehrt. Nur Paul und ich ersetzen fortab das Maurer-Heizungsbau-Kommando, mit seinen ursprünglich vierunddreißig Häftlingen.

Unsere Nahrung ist zwar karg, aber wir genießen den wohltuenden Frieden und erholen uns trotz harter Arbeit. Die Zuverlässigkeit unserer Glaubensbrüder wird seitens der SS besonders geschätzt. Wir sind sogar zusammen in einem sogenannten Bibelforscherblock untergebracht. Bruder Töllner, aus Meinerzhagen stammend, betrachtet mit uns regelmäßig die eingeschleusten Wachtturmartikel. In unserem Block sind vierhundertzwanzig Häftlinge untergebracht, je zur Hälfte im Flügel A und B. Mich findet man in B, neben Bruder Töllner.

Ein Bruder gewöhnt sich vor Hunger das Rauchen an und läuft Gefahr, erschossen zu werden. Das passiert oft genug, wenn ein Häftling in seiner Gier plötzlich aus der

Marschkolonne heraustritt und auf einen Zigarettenstummel zuspringt, den ein SS-Mann weggeworfen hat. Mit diesem Bruder teile ich nun mein Brot. Er überwindet seine Sucht und überlebt die schlimme Zeit der Unmenschlichkeit, wie ich später erfahre. Viele von uns sind durch die »geistige Speise«, die Literatur der »Wachtturm-Gesellschaft«, auf die Zukunft gut vorbereitet, aber es gibt noch viele, die nicht Bescheid wissen und gut gestärkt werden müssen. So lerne ich Kurt Pape kennen, der auch wie wir einen violetten Winkel trägt und sich Bruder nennt. Durch seine Philosophie der Allversöhnung versucht er viele Brüder, besonders die, die recht frisch die wahren Botschaften der Bibel, »die Wahrheit«, kennengelernt haben, zu beeinflussen. Wir warnen vor Papes Botschaft – zu Recht, wie sich nach der Nazi-Diktatur herausstellt.

Es vergeht aber auch nicht ein Tag, an dem nicht grausame Bestrafungen, unerträgliche Schikanen, Gemeinheiten und Repressalien unmenschlichster Art stattfinden. Ich sehe unbeschreibliche Grausamkeiten. Eine kaum vorstellbare Verschwendung an menschlichem Arbeitspotential und Vergeudung von Materialien. Jeder Tag, jede Stunde, ja jede Minute ist irgendwie durchzustehen. Jeder einzelne Häftling in diesem Lager hat einen ähnlichen Lebenskampf. Ein perverses, unmenschliches Denken beherrscht das KZ. Die nächste Schikane, die schlichtweg zum Tod führen kann, wartet unweigerlich auf jeden Insassen.

Der Bibelforscherblock hat zu einer »Befragung« anzutreten. Brüder werden genötigt, sich von ihrem Glauben loszusagen. Es gilt, ein vorbereitetes Dokument zu unterschreiben, und man würde die Freiheit wiedersehen. Aber die Aktion bleibt ohne Erfolg. Die Brüder bleiben trotz der Widrigkeiten treu. An einem Tag, bei starkem Schneefall, müssen wir gegen die Berufsverbrecher zur Belustigung der SS-Mannschaft eine Schneeballschlacht veranstalten. Lustig ist das allerdings nur für den Zuschauer. Nach unserem zweiten Sieg soll Lagerführer Koch gesagt haben: »Ihr Jehova hat ihnen wieder geholfen.«

Sieben Häftlinge foltert man, um ihnen Geständnisse zu entlocken, indem man ihnen die Hände auf dem Rücken zusammenbindet und sie so an den geknebelten Fäusten aufhängt, daß ihnen die Schultergelenke auskugeln. Als die Fußspitzen den Boden berühren, werden die Seile angezogen.

Eine andere Grausamkeit ist das Krummschließen, das heißt, die Hände werden gefesselt und über die Knie gezogen, dann positioniert man eine Eisenstange dazwischen, so daß man in einer recht steifen Haltung unbeweglich liegen bleiben muß. Nachts läßt man das Opfer in dieser Form auf dem klammen Zementboden liegen.

Mit Beginn des 2. Weltkrieges verschlimmert sich auch die Lage der Brüder. Wir müssen wieder geschlossen antreten. Ein langer, belehrender Vortrag fordert von uns Vaterlandsliebe und Opferbereitschaft für den Führer und

Groß-Deutschland. Man fordert uns auf zu unterschreiben – eine Lossagung von unserem Glauben, und wir wären frei. »Wer nicht unterschreibt, wird erschossen!« Mit Nachdruck unterstreicht der Redner noch einmal seinen Appell. Es regt sich nichts. Nach einer Weile ergänzt der enttäuschte Redner: »Dann sollen doch die wenigstens vortreten, die bereits unterschrieben haben.«

Zwei oder drei Brüder treten ängstlich nach vorne. Man hatte sie so mißhandelt, daß sie dem Druck nicht gewachsen waren. Nun, da sie die ansonsten geschlossene Gemeinschaft hinter sich sehen, ziehen sie ihre Unterschrift wieder zurück. Sie wollen Jehova nicht verlassen, lieber gehen sie mit seinem Volk in den Tod. Zwischenzeitlich fährt ein SS-Bataillon auf. LKWs rattern heran. Die MG-Türme werden verstärkt. Wir müssen alles ablegen, was wir in den Taschen haben. Von Industrieabfällen hatten wir uns Taschenmesser, Nähnadeln und so weiter angefertigt. Wir stehen nun zum Abtransport bereit. Zähneklappernd, aber fest entschlossen harren wir so eine halbe bis Dreiviertelstunde aus. Dann kommt die Entscheidung: »Alles abrücken! In die Blocks!«

Später erfahren wir, daß man zwischenzeitlich mit Berlin telefoniert hat, um über das Befragungsergebnis zu verhandeln. Von da aus kam die Entscheidung, die geplante Erschießung auszusetzen.

Tage später kommen die ersten Transporte gefangengenommener Polen, eintausendfünfhundert Zivilisten. Auf dem Appellplatz wird ein großes Zelt aufgerichtet, in dem sie hausen sollen. Uns erklären die SS-Leute, es wären Heckenschützen. Sie werden von den übrigen Häftlingen isoliert. Bei eisiger Kälte desinfiziert man diese Menschen draußen. Riesige Eisenkessel mit Lysol-Lösung sind aufgestellt. Da stopft man sie rein und schrubbt ihre Körper ordentlich mit Piassavabesen ab. Die rotgescheuerten Menschen können sich eine Decke abholen und bekommen eine Lagerstätte zugewiesen. Als Verpflegung ordnet man ihnen eine halbe Häftlingsration zu. Bei so einer äußerst engen Zusammenrottung von Menschen, unter bestialischsten hygienischen Bedingungen, stellen sich blitzschnell unvermeidbare Infektionskrankheiten wie Typhus ein. Nach einem Vierteljahr sind von den ursprünglich eintausendfünfhundert polnischen Häftlingen nur noch fünfhundert am Leben, darunter drei Glaubensbrüder. Die noch Lebenden werden auf die festen Baracken verteilt.

Zu uns gesellt sich der polnische Bruder Czilinski, um den ich mich kümmern soll. Er erzählt mir seine Geschichte: »Ich hatte ein Geschäft für technische Geräte in Lodz. Man holte alle Männer zusammen und führte sie aufs offene Feld. Dort machte man sie mit den Maschinengewehren nieder. Ich ließ mich in eine Furche fallen und überlebte. Bei der nächtlichen Dunkelheit entkam ich. ... Nach meiner erneuten Verhaftung erfuhr ich, daß man mich in Abwesenheit zum

E R K L Ä R U N G   ABSCHRIFT

Ich habe erkannt, daß die Internationale Bibelforscher-
Vereinigung eine Irrlehre verbreitet und unter dem
Deckmantel religiöser Betätigung lediglich staatsfeindliche
Ziele verfolgt.

Ich habe mich deshalb voll und ganz von dieser Organisation
abgewandt und mich auch innerlich von der Lehre dieser
Sekte freigemacht.

Ich versichere hiermit, daß ich mich nie wieder für die
internationale Bibelforscher-Vereinigung betätigen werde.
Personen, die für die Irrlehre der Bibelforscher werbend
an mich herantreten oder in anderer Weise ihre Einstellung
als Bibelforscher bekunden, werde ich unverzüglich zur
Anzeige bringen. Sollten mir Bibelforscherschriften
zugesandt werden, werde ich sie umgehend bei der nächsten
Polizeidienststelle abgeben.

Ich will künftig die Gesetze des Staates achten und mich
voll und ganz in die Volksgemeinschaft eingliedern.

Mir ist eröffnet worden, daß ich mit meiner sofortigen
erneuten Inschutzhaftnahme zu rechnen habe, wenn ich
meiner heute abgegebenen Erklärung zuwiderhandele.

Obenstehende Erklärung kann ich nicht unterschreiben, da
ich nach wie vor fanatischer Bibelforscher bin. Meinen
Schwur, den ich Jehova geleistet habe, werde ich nie und
nimmer brechen. Den Waffendienst verweigere ich auf das
Entschiedenste.

Konzentrationslager ....
.........., den .... 19...

                                        Unterschrift

*Abschrift eines Dokumentes,
das Zeugen Jehovas so oder ähnlich
in den jeweiligen Konzentrationslagern
vorgelegt wurde, um ihrem Glauben
abzuschwören*

Vizepräsidenten des Verteidigungsausschusses der Stadt Lodz gemacht hatte. Als solcher wurde ich hier eingeliefert.«

Nach dem Zählappell am Sonntagmorgen muß der Bibelforscherblock stehenbleiben. Wir haben das leere Zeltlager der Polen abzureißen. Die Unterkunft ist total verseucht. Man muß ganz vorsichtig arbeiten, um sich nicht in irgendeiner Form zu infizieren.

»Ihr Bibelforscher reinigt die Quarantäne! Dann werde ich sehen, ob euer Jehova auch da mit euch ist!« sagt selbstsicher mit prüfender Miene Lagerführer Koch. Nach unserer Arbeit habe ich sein Gesicht nicht gesehen, denn von uns hat sich in diesem Zusammenhang niemand irgendwie infiziert. Bei allen schweren und komplizierten Arbeiten werden jetzt Brüder eingesetzt. Zu diesem Zeitpunkt gehe ich davon aus, daß die schweren Prüfungen überstanden sind. Aber kann ich mir ganz sicher sein? Was kann ein Mensch noch ertragen?

Mein kolossaler Irrtum, es wäre nun alles vorbei – was kann ein Mensch noch ertragen?

»Ihr kommt nach Wewelsburg, ...!« lautet der Tenor am 8. März 1940. ... und ich hatte bereits die Vorstellungen, daß alles nun endlich vorbei sein sollte.

Wir erfahren, daß Heinrich Himmler, »Der Reichsführer SS und Chef der Deutschen Polizei«, die Wewelsburg bei Paderborn gepachtet hat, um sie zu einer gigantischen SS-Reichsführerschule auszubauen.

Der Paderborner Architekt Bartels hat bereits detaillierte Baupläne ausgearbeitet. Die Wewelsburg soll ein Mittelpunkt der nationalsozialistischen Ideologie werden, eine der Zentralen des von Adolf Hitler proklamierten »Tausendjährigen Reiches«, verkündet vor der Kulisse der einhundertvierundvierzig Säulen auf dem Reichsparteitagsgelände in Nürnberg.

Neunundachtzig Glaubensbrüder treten mit mir am 8. März 1940 die Reise nach Wewelsburg an. Wir sollen ein Arbeitskommando bilden. Obwohl ich bis jetzt dachte, die schwerste Zeit würde hinter uns liegen, verfolgt uns nun noch fünf qualvolle Jahre lang die Arroganz eines falschen Messias.

Ein erster Versuch, die geplanten umfangreicheren Arbeiten an der Burg durch ein aus Berufsverbrechern bestehendes Häftlingskommando ausführen zu lassen, scheitert, und endet mit einer Menschenjagd auf die ausgebrochenen Häftlinge. Dies löst Proteste unter der Bevölkerung von Wewelsburg und der umliegenden Dörfer aus.

Eingepfercht in Güterwaggons hat man uns auf die Reise in die westfälische Provinz geschickt. Halbverhungert schleppen wir uns nun den Weg vom Bahnhof zu unserer »neuen« Behausung hoch. Die sogenannte »Waldsiedlung«, ein noch nicht fertiggestelltes Barackenlager empfängt uns. Auf einem Plateau entsteht ein schwer bewachtes, stacheldrahtumsäumtes Lager. Gradlinig, aber doch bedrohlich mit einer tödlichkalten Ordnungsliebe, wird auf einem großen Gelände Baracke neben Baracke errichtet. Unsere primitive Behausung hat zwar ein Dach, ansonsten besteht der Fußboden aus bloßer, festgetretener Erde. An harten Wintertagen überzieht ein stürmischer Wind unsere grauen Schlafdecken mit Schnee. Klirrende Kälte läßt die Atemluft erstarren. Des nachts legt sich eine Krause aus Eiskristallen um unsere hageren Hälse.

So trist und grau sich unser Alltag gestaltet, so farbig entfaltet er sich für unsere Peiniger. Als erste Arbeit haben wir die Villa des Architekten Bartels zu bauen. Dieser phantasievolle Mann zeichnet und entwirft den Ausbau der Wewelsburg als zukünftiges Zentrum des SS-Ordens. Sein Wohnhaus richten wir aus gehauenen Bruchsteinen mit seitlich versetzten Fugen her. Im Steinbruch bei Ahden brechen wir das Material aus den widerspenstigen Kalksteinschichten.

Obwohl die Arbeit immer härter wird, werden wir schlecht ernährt und immer schlimmer behandelt. Die außerordentlich miserablen hygienischen Verhältnisse laugen unsere Körper aus, so daß wir nicht im gewünschten Maße arbeiten können. Aber man muß sich in acht nehmen, nicht als »arbeitsunfähig« eingestuft zu werden und damit ziemlich willkürlich ein Anrecht auf die gegenwärtige Existenz zu riskieren.

Es werden immer mehr Häftlinge aus anderen Konzentrationslagern angefordert. Unser Lager platzt aus allen Nähten, daher wird in der Flur Niederhagen ein eigenständiges Konzentrationslager hergerichtet. Niederhagen läßt sich auf einer gewöhnlichen Landkarte kaum finden, da nur ein Landstrich von Wewelsburg so bezeichnet wird. Direkt nordwestlich schließt Graffeln an, und die nördliche Grenze bildet die Alme, weiter östlich liegt der Niederntudorfer Wald und westlich die Waldsiedlung – fast schon eine Idylle.

Niederhagen liegt nur einige Kilometer von unserem Lager entfernt. Für viele wird es ein Ort des Schreckens. Wir rackern mörderisch. Die schweren Baumaterialien für die Baracken haben wir auf einem halbstündigen, aber qualvollen Weg bergauf zu schleppen.

Das KZ Niederhagen wird nach dem gleichen Muster errichtet wie das KZ Buchenwald. Anfänglich kommen nur Jehovas Zeugen zu uns. Von Sachsenhausen wird ein größerer Transport eingewiesen. Später sind Berufsverbrecher, Asoziale, Politische, Ostarbeiter, Juden und auch Russen dabei. Solange wir Jehovas Zeugen unter uns waren, haben wir uns wenigstens den Feierabend erträglich gemacht. Aber dann hat man uns den anderen zugeteilt. Verhalten sich diese

Häftlinge nicht lagerkonform, werden meine Glaubensbrüder immer gleich mitbestraft. Oft genug mißhandeln und schikanieren die Kriminellen, gemeinsam mit der SS, die Brüder. Einen plausiblen Grund zur Schikane finden sie allenthalben.

Schwache, Verletzte und Sterbende versorgt Bruder Schleicher, nach Feierabend helfe ich ihm dabei. An einem Abend behandeln wir eine schlecht heilende Wunde eines jungen Bruders wegen des wildwachsenden Gewebes mit einem Ätzstift, der bei uns als Höllenstift bekannt ist. Er erträgt geduldig und mit Würde seine Schmerzen. Ob er von Natur oder durch die vielen Mißhandlungen etwas wunderlich ist, weiß ich nicht, jedenfalls kommt er gerne zu uns und vertraut mir. An dem besagten Abend redet er mich an: »Weißt du, Max, du kannst ja alles mit mir machen, aber bleibe mir bitte mit deinem Katholikenstift weg!« Diesen trockenen Humor hatte ich ihm gar nicht zugetraut. Wir haben uns darüber jedenfalls köstlich amüsiert.

Meine handwerkliche Grundausbildung, bei der ich es im bürgerlichen Leben bis zur Auszeichnung eines baugewerblichen Architekten gebracht habe, ist mir auch hier in Wewelsburg eine große Hilfe, das Leben zu bestehen. Gelegentlich mache ich mich abends in meinem Blockflügel als Friseur nützlich.

»Der Bubi muß über den Bock!« dabei reiben sich die Berufsverbrecher schon einmal vor Freude die Hände. Beim Abendappell wurde darauf hingewiesen, daß am nächsten

Morgen alle frisch rasiert antreten müssen. In meinem Block habe ich nun siebzig bis einhundert Häftlinge zu rasieren. Die Männer seifen sich selbst ein. Ich wetze das Messer und fange gerade an, als das Licht erlischt. Alles ist stockdunkel. Die Kriminellen haben sich einen Spaß gemacht und die Sicherungen herausgedreht. Für mich gibt es nur die eine Möglichkeit, um nicht ins offene Messer zu laufen: weiterrasieren! Da hat sich die SS wirklich einen raffinierten Plan, in bester Zusammenarbeit mit den Berufsverbrechern, ausgedacht. Wenn auch nur ein einziger nicht rasiert sein sollte, würden fünfundzwanzig Stockhiebe auf mich warten – auf diese Abreibung freuen sie sich schon. Meine bis dahin gut geschützte Rückenverlängerung ist nun in äußerst großer Gefahr.

Ich habe nur dann eine Chance, wenn ich den Spieß schnellstmöglich umdrehen kann. So mache ich den Sprung nach vorne und rufe mutig in den dunklen Tagesraum: »Weiter einseifen, das Rasieren geht weiter! Wer sich heute abend nicht rasieren läßt, den melde ich morgen früh.« Das geht ihnen unter die Haut. Die abgebrühten Kriminellen schwitzen nun selbst aus Angst vor noch härteren Maßregelungen. Trotz ihrer abgemagerten, knochigen Gesichter rasiere ich die ganze Mannschaft ohne die geringste Verletzung.

Einige Wochen später werde ich auf der Bekleidungskammer neu eingekleidet. »Morgen mußt du im „Kommando SS-Frisörstube" antreten!« Ich komme ordentlich in Verlegenheit, denn bei dieser Arbeit kommt es auf eine äußerst präzise Genauigkeit an, ohne den SS-Leuten ein Härchen zu krümmen oder auch nur einen Haarspalt zu verletzen. Jeder weiß, wie schwierig das ist. Außerdem ist bekannt, daß ich Maurer bin. Auf dem Bau ist eine fisselige, mikrogenaue Arbeit nicht so ausschlaggebend. Unser Friseurmeister Bruder Hermann Rieske, der Vorarbeiter, kann mir auch nicht weiterhelfen.

Am nächsten Morgen drückt man mir mein Werkzeug in die Hand und weist mir einen Frisierstuhl zu. Noch ehe ich mich mit meinem Werkzeug näher vertraut machen kann, ruft Bruder Rieske: »Achtung!« Alles steht stramm. Der erste Lagerführer Obersturmbannführer Haas befiehlt: »Alles weitermachen!«

Mit Haas hatte ich noch nie zu tun. Er steuert spontan auf mich zu und setzt sich auf meinen Frisierstuhl, dabei ranzt er mich an: »Wenn du mich schneidest, schieße ich dir eine Kugel durch den Kopf!« Seine Bartstoppeln ähneln eher den Borsten einer Drahtbürste. Ich seife ihn ein, und mit meinen groben Maurerhänden reibe ich ihm den Bart weich. Vorsichtig rasiere ich erst mit dem Wuchs, dann nach dem zweiten Einseifen dagegen. Schlußendlich bekommt er noch eine leichte Gesichtsmassage. Haas nickt zufrieden und fragt, ob ich keine Angst gehabt hätte. Ganz ruhig antworte ich ihm: »Nein, Herr Obersturmbannführer, wenn ich Sie geschnitten hätte – hätten Sie nicht mehr geschossen!« Diese Art Humor kommt gut bei ihm an.

Sechs Wochen lang darf ich Haas nun jeden Morgen rasieren. Obwohl er oft unnachgiebig und gefühllos reagiert, behandelt er mich nie ungerecht. Über seine Moral will ich nicht urteilen, die ist nicht besser, aber auch nicht schlechter als die der anderen Peiniger.

Es ist ein offenes Geheimnis, daß Haas ein Verhältnis mit Frau Lehmann hat. Ihr Mann, im Dienstgrad eines Sturmführers, ist der Fahrdienstleiter der Wewelsburg. Haas schickt mich eines Tages mit einem Wachposten in Frau Lehmanns Wohnung, um einen Räucherschrank im Keller anzuschließen. Das ist eine schwere Arbeit, da dabei der Kamin angestemmt werden muß. Zwischen heißen Heizungsrohren muß ich mit einem langen Meißel stemmen. Ich schwitze dermaßen, daß mein staubiges Gesicht nahezu dem Antlitz eines Arbeiters einer Kohlengrube gleicht. Meine durchnäßte Kleidung ziehe ich bis auf die Hose aus. Abgemagert zum Klappergerüst, einem entkräfteten Muselmann ähnlich, dazu noch körperlich stark zusammengefallen, komme ich natürlich nicht so zügig voran wie erwartet. Grund genug für Frau Lehmann, im Lager anzurufen, um sich über den langsamen Häftling zu beschweren. Grundsätzlich hat man bei der geringsten Klage eine harte Bestrafung zu erwarten.

Der Lagerführer kommt persönlich, sieht sich meine Leistung an, dreht sich zu Frau Lehmann um und erklärt: »Das geht nicht schneller.« Dieser wohlgenährten Frau, der es in dieser Zeit verhältnismäßig gut geht, fehlt ganz einfach das Verständnis für ihre Mitmenschen. Viele reagieren den Häftlingen gegenüber gefühllos und setzen sie qualvollen Bestrafungen aus. Bruder Struthof, aus Soest stammend, hat Frau Lehmann montags immer die Wäsche, auch mitsamt ihrer Monatswäsche, kochen und waschen müssen.

Meist bin ich im »Kommando Waldsiedlung«, dort wo unsere früheren Häftlingsbaracken standen, beschäftigt. Wir bilden ein Arbeitskommando von fünfzig bis einhundert Häftlingen. Unsere Kapos rekrutieren sich aus den Häftlingsgruppen der Berufsverbrecher, Politischen oder Asozialen. Es sind die Günstlinge der SS. Aus unserem Kommando müssen wir abends die ausgelaugten und getöteten Mitgefangenen auf unseren Schultern ins Lager zurücktragen.

Bei einem Arbeitseinsatz hat man mich bestimmt, das Arbeitskommando antreten zu lassen. Auf unseren Schultern sollen wir schwere Steinbrocken zu unserem Lager tragen. Ein großer, abgemagerter asozialer Häftling kann sich nicht mehr bücken. Mit einem schweren Stein in den Händen kommt er nicht mehr hoch. Der SS-Kommandoführer befiehlt mir, ihm einen Stein auf die Schulter zu legen. Noch ehe ich einen leichten Stein für ihn aussuchen kann, sackt er tot zusammen.

Vier Häftlinge tragen die Leiche zurück zum Lager, dabei quälen sie sich zwangsläufig durch die Dorfstraßen. So einen Anblick kann man, aus Sicht der Lagerleitung, der

Öffentlichkeit nicht mehr zumuten. Also transportiert man künftig die Kranken, Körperschwachen und Toten mit einem Auto.

Kommandoführer und Kapos werden immer brutaler und gemeiner: »Ohne zwei bis drei Tote rücken wir heute nicht ein. Alles im Laufschritt!« Mit Stöcken schlagen sie auf uns ein und machen sich einen Spaß daraus, viele zu Tode zu hetzen. Abends teilen sich dann in so einem Fall die Kapos mit dem Stubendienst die übriggebliebene Mahlzeit. Einige der Häftlinge sind so entmutigt und hoffnungslos, daß sie von sich aus über die Postenkette in den sicheren Tod laufen. Es kommt auch vor, daß man Häftlingen die Mütze abnimmt und diese über die Postenkette wirft. Nun fordert man den Gefangenen auf, die Mütze wieder zu holen, und erschießt ihn erbarmungslos – in den Papieren heißt es dann »auf der Flucht erschossen«.

Einige haben ernsthafte Fluchtversuche gestartet. Für einige Zeit gelingt es dem einen oder anderen, sich zu verstecken, sobald die Häscher ihn dann aber entdecken, lassen sie ihn von ihren abgerichteten Hunden zerfleischen. In einem Fall haben die Verfolger zur allgemeinen Abschreckung einen zerfleischten Körper auf einer Decke zur Schau gestellt. Hunde hatten dem toten Leib sämtliche Weichteile entrissen. Das ganze Lager muß im Gänsemarsch vorbeiziehen. Vor mir trippelt ein Junge, vielleicht sechzehn Jahre alt, ein Ostarbeiter. Er blickt kurz auf die Leiche und wird ohnmächtig. Ein brutaler SS-Mann, Aufseher in unserer Häftlingsküche, faßt den Jungen, wirft ihn auf den Leichnam, greift die Hand des Jungen und rührt damit in der offenen Leiche.

Bei einer anderen Exekution eines fünfzehnjährigen Jungen müssen wir wieder antreten. Jehovas Zeugen haben in der ersten Reihe zu stehen. Der Junge wird erhängt. Als Grund führt man an: »So geht es denen, die ihre Arbeit verlassen.« Viele unserer Glaubensbrüder haben Familie, und so wird unter anderem versucht, ihnen eine Situation vor Augen zu führen, die sie veranlassen soll, ihre Glaubensprinzipien zu verraten – du brauchst dich nur von deiner Religion loszusagen, und du bist frei. Alles wäre nur eine Frage der Unterschrift unter ein vorbereitetes Formular, das man Jehovas Zeugen konsequent immer wieder vorhält.

Viele Brüder sterben entkräftet, mißhandelt, durch Tuberkulose und sonstige Erkrankungen. Einem Bruder hat der Posten im Steinbruch die Mütze heruntergerissen. Nachdem ihn der Kapo, ein Berufsverbrecher, bis zur Unkenntlichkeit zusammengeschlagen hat, wirft er die Kopfbedeckung des Bruders über die Postenkette und fordert ihn auf, die Mütze zu holen. Man erschießt ihn. Ein anderer Bruder wird mit einer Pickhacke erschlagen. Insgesamt werden von 1940 bis 1942 einundzwanzig Brüder brutal ermordet.

In diesen schweren Jahren ist Bruder Adolf Schmidt unser Kapo für den Aufbau im Lager. Karl Müller ist Stubenältester und Otto Martens Lagerältester. Während der

Arbeit müssen wir oft genug einen Spießrutenlauf unter den gewöhnlichen Kapos vollführen, daher unterstützen wir gerne unsere Brüder in ihren Positionen. Für Otto Martens gestaltet es sich außerordentlich schwierig, sich neutral zu verhalten, wenn die Kapos denunzierende Meldungen über ihre Mithäftlinge in der Lagerschreibstube abgeben. Otto muß die Meldungen dann an den SS-Rapportführer zwecks Bestrafung weiterleiten. Gewöhnlich hält er die Meldungen so lange fest, bis sich eine günstige Gelegenheit bietet und die SS-Leute bei guter Laune sind.

Hin und wieder schlüpfe ich abends unbemerkt in die Lagerschreibstube und lausche der Lagebesprechung. Manchmal wechsle ich unauffällig das Kommando, um herauszufinden, was die Kapos gegen Jehovas Zeugen planen. Bei einer Gelegenheit haben die Kapos, bestehend aus Politischen und Berufsverbrechern, eine Meldung gegen den Lagerältesten Otto Martens formuliert, weil der wiederum eine Meldung gegen einen Bruder nicht an die SS weitergegeben hat. Abends beim Einrücken habe ich Otto noch rechtzeitig ein Zeichen gegeben, so daß er umgehend seine zurückgehaltene Meldung abgeben konnte, bei der es um das Vergehen »in der Mülltonne nach Eßbarem gesucht« geht. Als sich die Kapos nun händereibend zum Rapport melden, sagt ihnen der Rapportführer: »Zehn Minuten zu spät, meine Herren.«

Der bestrafte Bruder ist dann aber gut davongekommen. Für ein paar Tage hat man ihn in ein anderes

Arbeitskommando versetzt, und schließlich kehrte er wieder zu den Strumpfstopfern zurück.

Zwischenzeitlich haben wir Brüder eine relativ gute Arbeit bekommen. Bruder Dickmann ist Kalfaktor, dies ist die Funktion eines Dieners, beim Lagerführer. Bruder Draht sitzt in der Verwaltung. Willi Wilke ist in der Lagerschreibstube tätig, und die meisten anderen sind in den Werkstätten untergebracht. Otto hat bei der SS die Erlaubnis bekommen, daß er uns jungen Brüdern Lehrbücher besorgen kann und uns unterrichtet. Dadurch können wir offiziell einen guten Kontakt miteinander pflegen. Illegal hat Otto eine Bibel versteckt und lehrt uns Bibelstellen und Maximen fürs Leben. In Stenografie schreiben wir unsere Texte, damit die Wachmannschaft bei einer Durchsuchung nicht so schnell etwas identifizieren kann. Otto schult uns für das kommende Werk. Auf uns wartet offensichtlich noch viel Arbeit. Später erweist sich, daß er recht hat.

Die Häftlinge sind sich untereinander nicht einig und bekämpfen sich. Zeit- und erlebnismäßig sitzt man zwar im selben Boot, aber das Denken und die Ziele liegen mehr oder weniger weit auseinander. Dadurch wird die »Freiheit« der Brüder zusätzlich noch massiver eingeschränkt. Hinzu gesellt sich leider auch das üble Denunziantentum, obwohl sich für den Zuträger die Situation letztlich auch nicht ändert. So ist es zum Beispiel oft nicht möglich, Brüder zu warnen, wenn plötzlich eine Razzia der SS ansteht.

In unseren Baracken haben wir eine Bibel und etwas Literatur der »Watch Tower Society«. Selbstverständlich weiß der Stubenälteste Bruder Karl Müller darüber Bescheid. Trotz eindringlicher Warnungen lassen aber einige Brüder Literatur oder auch schon einmal die Bibel recht unbedacht unter dem Kopfkissen liegen. Karl fühlt sich laufend gezwungen nachzusehen, ob die Dinge nicht schon wieder so offensichtlich liegengelassen werden. Man kann das Ganze schon als eine Art Herausforderung ansehen. Ob Jehova uns in diesem Falle wohl seinen Schutz gewähren würde und seine Widersacher regelrecht bei Durchsuchungsaktionen blind sein läßt? Dieser Punkt führt leider unter den Brüdern zu heftigen Kontroversen.

Selbst die allerkleinsten Vergehen, beispielsweise Unterstellungen, die Lagerordnung nicht eingehalten zu haben, führen zu einer Züchtigung oder/und Bestrafung. Wir sorgen uns besonders um unsere Brüder, wenn sie in einem solchen Fall Außenkommandos zugeteilt werden.

Tragisch enden die beiden jüngsten Glaubensbrüder, die Zwillinge Erwin und Walter Opitz. Wir bedauern sie, sind aber in diesen Situationen machtlos ihnen zu helfen. Beim Zählappell, wenn alles ausgerichtet sein soll und man strammzustehen hat, dann zappeln sie herum. Otto Martens verliert seine Nerven und gibt dem Erwin eine Ohrfeige, um ihn zur Besinnung zu bringen. Einige Brüder, die bei ihrer Arbeit geringen Gefahren ausgesetzt sind und keine Verantwortung für das Leben von Mithäftlingen tragen, tadeln Otto wegen seiner rigorosen Vorgehensweise.

In der Gärtnerei sind die Glaubensbrüder Böttcher und Krause beschäftigt. Hier tut sich eine Möglichkeit auf, die Zwillinge wenigstens vorübergehend zu beschäftigen. Wir bemühen uns auch um eine Arbeit in den Werkstätten. Aber wir haben keine Chance. Alle Bemühungen scheitern. Walter stirbt letztlich an Tuberkulose. Erwin werde ich später erwähnen.

Das Lager hält konsequent eine hohe Rate an Neuzugängen, mit dem üblichen Schwund durch die »natürliche Auslese« des »lebensunwerten Lebens«. Offiziell wird das Lager zur »Richtstätte Gau Westfalen« »befördert«. Das erfordert für diesen Ort ein Krematorium.

In einem nicht beschreibbaren, unvorstellbaren Maße steigert sich die Brutalität, sowohl von den SS-Leuten, als auch unter den Häftlingen. Unterschiedlichste Menschen sind hier unter fürchterlichsten Bedingungen zusammengepfercht und verhalten sich bei extremen Situationen, unter großer nervlicher Anspannung, unvorhersehbar schwierig.

Ein kürzlich eingelieferter junger Mann, vielleicht fünfunddreißig Jahre alt, wird vor meinen Augen ermordet. Während ich einen Torpfeiler hochmauere, schlagen über einen Zeitraum von zwei Stunden sadistische Berufsverbrecher auf diesen Mann dermaßen ein, daß er qualvoll verstirbt.

Dies nur deshalb, weil SS-Männer die Verbrecher angestachelt hatten: »Den wollen wir heute abend nicht mehr sehen.«

Im »Kommando Waldsiedlung« verschärfen sich die Verhältnisse. Die SS-Bauleitung macht Druck, weil die Wohnhäuser für die SS-Mannschaft nicht schnell genug fertig werden.

Wenn Sand fehlt, fährt regelmäßig ein Bauer aus dem Dorf mit seinem Traktor und zwei Anhängern über Salzkotten nach Sande zur Sandgrube. Wir müssen zum Aufladen mitkommen. Gewöhnlich geht am Traktor dann etwas kaputt, wenn wir unter den Zwetschgenbäumen herfahren oder an einem Rübenfeld vorbeikommen. Man gestattet uns bei diesen Zwangspausen großzügig Mundraub. Zum Weglaufen sind wir sowieso zu schwach.

Die Bauleitung setzt mich als Kapo ein, da die Berufsverbrecher ziemlich unzuverlässig sind. Sie werden immer fetter und feiern ganz nebenbei ihre homosexuellen Orgien. Nun bin ich Polier der SS-Bauleitung und unterstehe direkt der SS-Lagerleitung, damit bin ich für meine Mithäftlinge als »Vorgesetzter« verantwortlich. Nur mit der Hilfe meines Gottes Jehova kann ich diese neue und große Verantwortung tragen. Bis dahin war ich der Getriebene, nun kann ich selbst in der neuen Funktion als Antreiber, andere mit offizieller Duldung malträtieren. Gewöhnlich befiehlt der SS-Kommandoführer: »Alles im Laufschritt!« Aber jetzt habe ich die Chance, den Spieß umzudrehen.

Die schwere Arbeit bekommen die Mörder und Verbrecher aufgebürdet. Im Laufschritt haben sie Erde und Steine zu karren, während die körperlich Schwachen eine leichte Tätigkeit ausführen. Dies ist meine erste Anordnung und damit auch eine Auseinandersetzung mit gewissenlosen Verbrechern. Man hat keine Möglichkeit, an den Verstand oder das Herz zu appellieren, sie verweigern meine Weisungen und die SS-Männer freuen sich.

»Im Laufschritt, habe ich gesagt«, höhnend äfft mich der Kommandoführer nach. Ich muß schon ein komisches Bild abgeben. Als halbe Portion, mit meinen neunzig Pfund, laufe ich mit der Dachlatte drohend hinter skrupellosen Mördern her, ... und sie lassen sich doch beeindrucken. Abends klagen sie über Blasen an den Füßen und bitten um Ablösung. Nichts zu machen, ich lasse nicht mit mir reden, gebe ihnen aber die Gelegenheit, in ein anderes Arbeitskommando zu wechseln. Sie kuschen, so daß ich nie in die Verlegenheit komme, sie bei der SS zu melden.

Nach dieser Zeit kehrt erst einmal Ruhe in mein Kommando ein. Immerhin besteht die ganze Arbeitseinheit aus dreißig bis fünfzig Häftlingen. Bei uns braucht niemand die körperlich Schwachen oder auch Tote abzuholen. Aus unserer Gruppe ist auch niemand aus Verzweifelung über eine Postenkette gelaufen.

Nach und nach kann ich Brüder in unser Arbeitskommando aufnehmen, besonders die, die unter schwersten und brutalsten Bedingungen ihrer Kapos, hier Politische und Berufsverbrecher, leiden. Viele unterweise ich im Bauhandwerk. Bei uns können sie sich von den bisherigen Schikanierungen und der demütigenden Behandlung wenigstens etwas erholen. Nur bei Erwin Opitz, dem vorher angesprochenen überlebenden Zwillingsbruder des Walter, will mir das nicht gelingen. Erwin hat keinen Mut mehr, seine Stimmung ist bedrückt und depressiv. Ich gebe ihm einen kleinen Eimer in die Hand, um für unsere Maurer Wasser zu holen. Ein paar Tage versuche ich es mit ihm und bin froh, daß der SS-Kommandoführer mir nicht den Befehl gibt, ihn als Ordnungsstrafe zu prügeln.

Da die Kommandoführer fast täglich wechseln, muß ich immer wieder darauf hinweisen, daß Erwin seinen Zwillingsbruder verloren hat und daher nervlich ziemlich angeknackst ist. »Dann soll er morgen bei dem Krankenkommando antreten«, antwortet der Kommandoführer. Wir freuen uns unbändig darüber, daß Erwin keine Meldung zur Bestrafung erhält, weil er wieder einmal bei der Arbeit eingeschlafen ist.

Als wir am darauffolgenden Tag abends ins Lager einrücken, werden wir mit der Nachricht überrascht, Erwin sei tot. Der Kapo des Krankenkommandos, ein politischer Häftling, hat ihn mit einer Pickhacke erschlagen, erzählt man uns. Mein Gewissen plagt mich, so daß ich mir sage, ich hätte es doch mit einer Ohrfeige versuchen sollen. Oder?

Jeder von uns fragt sich: »Wann werde ich der Nächste sein?« Durch die ständigen Zugänge im Lager, auch durch die Hinrichtungen und das unsägliche Sterben der Körperschwachen, ist man selbst ständig von innerer Unruhe erfaßt, und die Spannungen erhöhen sich. Dementsprechend sind der Lagerälteste und die Blockältesten überfordert. Eine gewisse Grundordnung aufrechtzuerhalten ist ihnen nicht mehr möglich. Der Geruch verbrannter Leichen, dazu das unendliche Brüllen der Kommandos der SS-Leute, schaffen eine erstickende, trostlose Atmosphäre des Grauens.

In einer Nacht, von Samstag auf Sonntag, wird ein Transport russischer Gefangener eingeliefert. Schätzungsweise sind es einhundertzwanzig bis einhundertdreißig Personen, total erschöpft und ausgemergelt. Niemand kann sagen, wie lange sie schon ohne Essen und Trinken auf dem Transport waren.

Die Russen werden in einen leerstehenden Block verfrachtet. An der Tür hängt warnend das Schild: »Das Betreten der leerstehenden Blocks ist verboten.« Bruder Müller bittet mich, ihm zu helfen, den russischen Gefangenen die erste Mahlzeit auszuteilen. Bereitwillig sage ich zu. Wir haben allerdings nur siebzehn Schüsseln und Besteck für siebzehn Personen. Daher müssen wir alle in den Schlafraum führen, den eine Tür vom Tagesraum trennt. Wir reichen die Schüsseln und Bestecke in den Schlafraum und lassen sie dann einzeln zum Essensempfang heraustreten. Zweimal geht es gut, dann durchbrechen sie die Türe, werfen uns mitsamt den Kesseln um, kratzen Überbleibsel mit den Händen zusammen und lecken mit der bloßen Zunge die Suppe vom Boden auf.

Mittels Dolmetschern können wir ihnen klarmachen, daß sie so nicht sonderlich ihre Lage verbessern, und wir können den Rest der Suppe einigermaßen vernünftig aufteilen. Für zehn Leute haben wir jedoch vorläufig nichts mehr.

Einige sparsame Brüder haben wir dann mit Erfolg um Brot für die Russen angebettelt. Schweißgebadet und froh, daß die Hungernden uns nicht mit verspeist haben, stehen wir nun schwer durchatmend unter der Dusche.

An einem der darauffolgenden Sonntage übernehme ich wieder einmal eine Fuhrkolonne von total entkräfteten russischen Gefangenen. Mit einem schweren Ackerwagen holen wir aus dem oberhalb des Lagers gelegenen Steinbruch Bruchsteine für die Erweiterung der Lagerstraße. Hin und her geht es nur im Laufschritt.

Man braucht keine Sprachkenntnisse, um wehrlose Menschen in den Tod zu hetzen. Meine zwei russischen Worte »dawai« und »stoi« genügen als Sprachkenntnis, um unfallfrei einen Auftrag auszuführen. Vermutlich soll es für mich ein Test von der SS sein, ob ich ihren Befehlen nachkomme, denn ich muß mit meiner Kolonne immer an dem Büro des Lagerkommandanten vorbei. Den Ausdruck »dawai« nutze ich symbolisch als Peitsche, und die armen Menschen verstehen mich umgehend. Das Wort »stoi« nutzen wir ähnlich, wenn wir zwischen den Baracken verschwinden und so lange nach dem herausgerutschten Splint der Radnabe suchen, bis alle ausgeruht sind. Wenn ich den Splint dann wieder hochhalte, freuen sie sich.

Eine weitere Sonntagsarbeit ist das Ausheben eines Grabens für die Wasserleitung, und dies auf felsigem Grund. Um Posten für den Sonntagsdienst einzusparen, müssen oft die Bibelforscher ran. Die SS verläßt sich darauf, daß wir als Gruppe unsere Zusagen einhalten, daß wir ohne größeres Murren die scheußlichsten Arbeiten erledigen und unser Los fast ungebrochen ertragen. Für mich als Handwerker ist die körperliche Arbeit auch nicht »das« Problem. Aber andere Brüder stehen mit einem Bein schon auf der Liste. Da ist beispielsweise Georg Klohe, der sich freut, wenn sich unser Posten umdreht, um nach anderen zu sehen. So kann er schnell in meinen Abschnitt des Grabens wechseln. Für diese Art der Arbeit hat er eher zwei linke Hände und schwitzt vor Angst, wenn er eine körperliche Beschäftigung schon von weitem sieht.

Durch unsere konsequente Haltung, das Fehlen jeglicher Denunziation, und durch die gute Arbeit haben wir die Anerkennung der SS-Bauleitung. Sogar die Wachmannschaft staunt über unsere friedvolle Einstellung. Trotzdem setzen mir immer wieder brutale Oberscharführer mit ausgefallensten Anordnungen und spinnerten Ideen heftigst zu. Ich gehe davon aus, daß mir Jehova in gefahrvollen Situationen hilft. Ein Oberscharführer hat so eine abersinnige Idee. Er fordert mich auf, mit Roland zu kämpfen. Roland ist der bissigste Wachhund. Das Kommando lautet: »Ich gebe dir den Befehl, den Hund totzuschlagen!«

»Diesen Befehl darf ich nicht ausführen, da der Hund Eigentum des Lagers ist, und ein unvernünftiges Tier schlage ich nicht«, wende ich ein und bitte ihn darum, sich meinen Vorschlag anzuhören. »Ich erkläre mich bereit, daß ich das Tier mit einem Stock reizen werde, bis es genügend angriffslustig ist. Dann können Sie das Kommando geben, wenn Sie meinen, der Hund sei ordentlich aufgebracht.«

Keifend fletscht das Tier die Zähne. Der Speichel trieft. Der Hund ist kaum zu bändigen. Da befiehlt der Oberscharführer: »Hund los!« Mutig recke ich dem Tier meine Kehle entgegen. In dem Moment des Sprungs und gleichzeitigen Rachenaufreißens, um zuzupacken, drücke ich mit Schwung meinen rechten Arm in den Tierrachen, und der Hund packt zu. Dann bücke ich mich zum Hund, streichle ihn mit meiner linken Hand und lobe ihn für seine gute Arbeit. Das Tier läßt los. An meinem Arm habe ich keine Spur einer Verletzung, denn ich hatte mich mit dem Jackenärmel geschützt. Dies ist einer der harmloseren Späße, die für etwas Abwechslung sorgen.

Für wesentlich gefährlicher empfinde ich die Auseinandersetzung mit einem Menschen, der einem reißenden Tier gleicht. So ein Mensch scheint unser momentaner Kommandoführer zu sein. Morgens schreit er: »An die Arbeit! Unter zwei bis drei Toten rücken wir heute nicht ein.«

An solchen Tagen liegen die Nerven blank. Mir gelingt es, wie ich es einschätze mit Jehovas Hilfe, die triste Eintönigkeit der SS-Männer durch alle möglichen Einfälle zu unterbrechen. Sie schikanieren, wo sie nur können, oft aber aus lauter Langeweile. Dem besagten Kommandoführer erzähle ich beispielsweise, daß die Alme, der Bach, der an unserer Baustelle vorbeifließt, vor Forellen nur so wimmelt. »Hast du einen Fischer bei deinem Kommando?« fragt er. »Ja«, antworte ich. Ich spreche den ostpreußischen Bruder Ekrot an, der von den Masuren kommt. Er hat so oft von den dortigen fischreichen Seen berichtet. Ihm verdanken wir einen ruhigen Tag. Der Kommandoführer hat seine morgendliche Forderung der zwei bis drei Toten buchstäblich vergessen.

Bei einer anderen Gelegenheit kann ich einen unheimlichen SS-Mann dazu bringen, sich mit einer Aufgabe zu beschäftigen, die ihn besonders fordert. Er soll die Ratten erschießen, die uns die Säcke mit Grassamen in der Baubude zernagen. Der Mann läßt sich darauf ein und ist erst einmal beschäftigt. Aber nicht immer verläuft es so harmlos.

Einer der Kommandoführer ruft mir aus der Fensteröffnung eines Rohbaus zu: »Der asoziale Häftling Milek steht hier in der Ecke und arbeitet nicht. Kapo, der bekommt fünfundzwanzig Stockhiebe!« Ich führe die Schimpfkanonade fort, stoße Milek in die Baubude und rede Tacheles mit ihm: »Jetzt liegt es an dir. Spiel deine Rolle gut, sonst muß ich dir eine Meldung machen.« Milek zählt unter Schreien und Schluchzen die fünfundzwanzig Stockhiebe mit, während ich wild auf die gestapelten Zementsäcke einprügle.

Den Anblick werde ich nie vergessen, wie er sich im Sandhaufen überschlägt, nachdem ich ihn, wie ein Rohrspatz schimpfend, aus der Bude geworfen habe. Zufrieden reibt sich der Kommandoführer die Hände. Das zeigt, daß wir ein bühnenreifes, beeindruckendes Theaterstück hinlegen können.

Dafür, daß ich Bruder Müller beim Essenausteilen für die halb verhungerten russischen Gefangenen geholfen habe, habe ich nun eine Eintragung in meine Häftlingskarte bekommen: sechs Stunden Strafarbeit. So etwas ist für die meisten von uns das sichere Todesurteil.

Bruder Hermann Dominke muß die gleiche Strafe abbrummen, er ist etwas jünger und kräftiger als ich. Er ist öfter im Baubüro mit dem Aufzeichnen von Montageschemata für die Verlegung von Rohrleitungen beschäftigt – in dieser Zeit eine beneidenswerte Stellung. Er hat sich seine Meldung vom SS-Bauleiter eingehandelt, der zu jener Zeit für den Bau des Krematoriums verantwortlich zeichnet.

Unter Gebrüll müssen wir an einem Sonntag unsere Strafe antreten. Ein sadistischer SS-Mann prügelt uns mit einem Schlauch, in den ein Drahtseil eingezogen ist, an die Arbeit. Mit einer Trage schleppen wir Erde zu einem Steinhaufen und schwere Steine zum Erdhaufen und umgekehrt – eine reine Schikane. Jeweils drei Häftlinge warten an den Haufen auf uns, beladen recht behende unsere Trage, und wir düsen im Laufschritt tour-retour. Nachdem ungefähr drei Stunden vergangen sind und wir noch munter um unser Leben laufen, steht der SS-Mann an einer Barackenecke, um mit seinem verfeinerten Schlauch zuzuschlagen. Einmal erwischt er mich an der rechten Ohrseite. Wegen des aufgeweichten Lehmbodens verspürt er keinen Drang, hinter uns herzuhetzen.

Er hat Zeit, wir müssen ja schließlich noch einige Male an ihm vorbeiziehen. Ich denke, jetzt kann nur noch Jehova helfen, und er hilft, es fängt wolkenbruchartig an zu regnen. Mächtig brüllend schickt uns der SS-Mann, unter der Dachtraufe im Trocknen stehend, hin und zurück. Herrisch steht er da, aber für uns geht die Tortur weiter, immer wieder

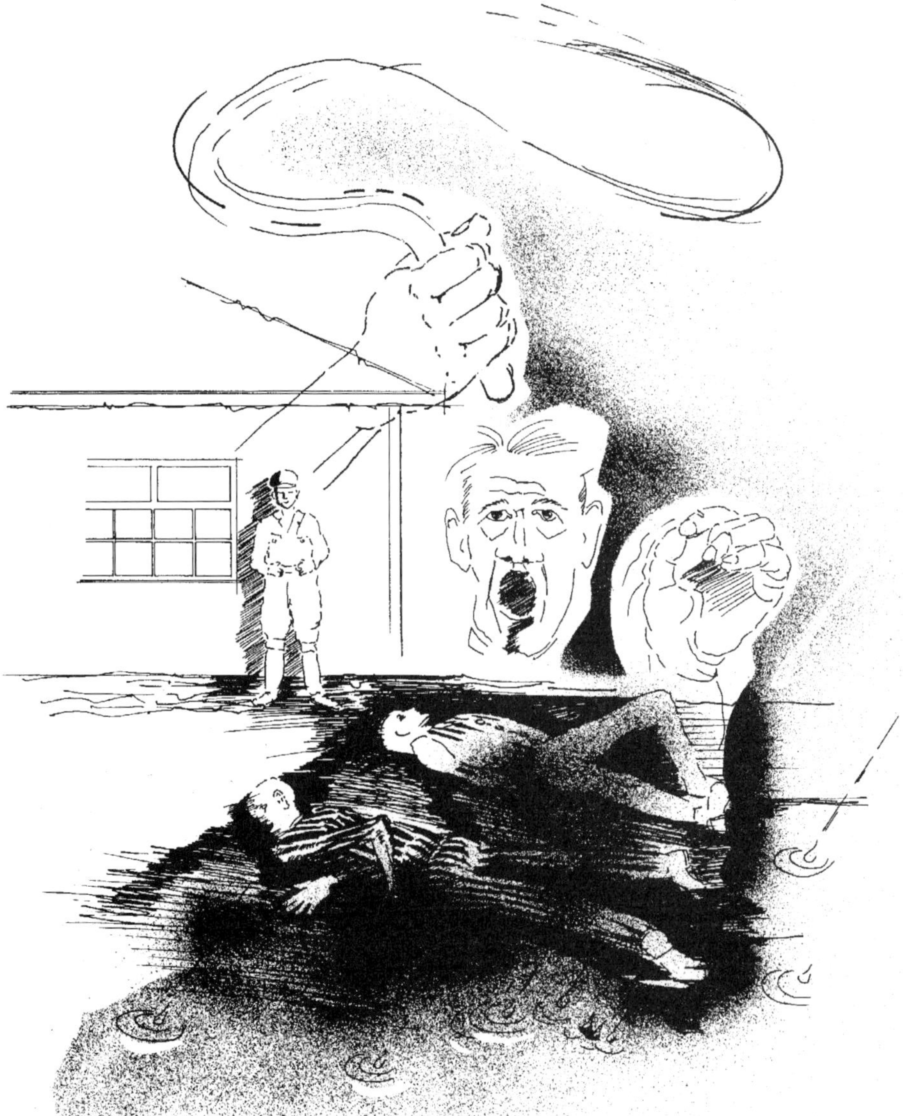

hin und her. Aber der Regen, vor dem er sich schützt, nutzt uns. Wir empfinden das Wasser als Wohltat. Leider merkt der Kerl das auch. Nun hat er die Idee, wir sollen uns seitwärts durch den aufgeweichten Lehmboden rollen, dann auf den Ellbogen durch die schmierigen Wasserpfützen robben.

Froh flüstere ich Hermann zu: »Diese Lehmwickel sind unsere Rettung.« Jedenfalls sind wir nicht kleinzukriegen.

Aber unser Mann gibt nicht auf. Jetzt müssen wir mit unserer Last über einen großen Haufen Bruchsteine laufen. Er hofft, daß wir uns dabei die Beine brechen. Zumindest für den Hintermann sind solche Aktionen immer ein Risiko. Da ihm die Trage die Sicht nach unten nimmt, kann er nicht ahnen, wohin er tritt. Inzwischen sind wir aber keine Anfänger mehr, wir sind geübte Träger und laufen quer über die Steine.

Kurze Zeit später – wir würden es fast unbeschadet schaffen können – kommt der SS-Mann nahe an den Steinhaufen heran, um nach uns zu schlagen. In dem Moment stolpert Hermann und knallt dem Sadisten direkt auf die Füße. Das ist es dann leider doch. Die Schläge mit seinem ausgeklügelten Werkzeug spüre ich noch heute, jahrelang sollte mich diese bösartige Tortur, bis zu Bewußtseinsstörungen, verfolgen.

Wewelsburg um 1842
(Reproduktion einer Zeichnung
von Franz Josef Brand)

Hat es einen Sinn, diese Drangsalierungen durchzuhalten?

Zeugen Jehovas werden von der SS und den Mithäftlingen häufig terrorisiert, obwohl sie die zuverlässigsten Arbeiter sind. Wenn sie ihren Spaß haben wollen, und wenn es ihnen in den Kopf kommt, dann arbeiten die Kapos, rekrutiert aus den Berufsverbrechern, Politischen und Asozialen, auch gerne mit den SS-Leuten zusammen und behandeln uns wie Freiwild.

An einem Abend muß ich die Kapobinde an einen Berufsverbrecher abgeben, ein Mann mit sechsundvierzig Vorstrafen. Er ist kräftig gebaut und bringt bestimmt einhundertachtzig Pfund auf die Waage. Wenn er die Stimme erhebt, erzittern alle. Bruder Otto Martens kennt seine Geschichte. Wenn sich ein Häftling zum Rapport meldet, ist Otto als Lagerältester gewöhnlich dabei. Das Gespräch, das dieser Verbrecher mit dem Rapportführer geführt hätte, wäre recht kurz ausgefallen, sagte Otto. Westphal, dieser Berufsverbrecher, kennt den Rapportführer Kuhn aus seiner Zeit in Sachsenhausen. Er weiß auch über seinen rücksichtslosen Kampf gegen Jehovas Zeugen Bescheid. Ein Kampf, den er mit äußerster Brutalität und Gemeinheit geführt hat. Dazu gehörte tagelanger Essensentzug.

Westphal sagte laut Ottos Information: »Das Bibelforscher-Kommando Waldsiedlung ist ein Erholungskommando (aus meiner Sicht hat er mit seiner Einschätzung durchaus Recht). Geben Sie mir die Kapobinde von dem Bibelforscher Max Hollweg. Ich verspreche Ihnen, in vier Wochen habe ich alle Bibelforscher in seinem Kommando kaputt.«

Die Antwort des Rapportführers ist eine Warnung an Westphal: »Nimm dich aber in acht. Das haben schon andere versucht.«

Am Morgen läßt Westphal unser Kommando antreten. Das ganze Lager scheint zusammenzuzucken. Bei seinem furchteinflößenden Anlitz denke ich an Beschreibungen, die einen brüllenden, Unheil ankündenden Löwen in der Wüste plastisch zeigen, mitsamt den Mark und Bein erschütternden Geräuschen.

Nun habe ich durch meine lagerinternen Funktionen das Zusammenarbeiten der beiden SS-Leitungen näher kennengelernt: Die SS-Lagerleitung bemüht sich »pflichttreu« um die Vernichtung von Häftlingen wegen der sich mehrenden Neuzugänge. Die SS-Bauleitung sorgt sich »fürsorgend« um die Unterkünfte der Familien unseres SS-Burgstabes und der SS-Bauleitung.

Die Furcht, in einem aussichtslosen Kampf an den Kriegsfronten ihr Leben zu opfern, veranlaßt viele Günstlinge der SS, ihre anscheinend gefahrlose Stellung in Wewelsburg gut zu pflegen.

Mit unserem »Erholungskommando« ist es also zu Ende. Ich bemühe mich, dem neuen Kapo die Nutzlosigkeit seines brutalen Vorgehens vor Augen zu führen. Aber es wird von Tag zu Tag tragischer. Er wirft mit Steinen nach den Brüdern, denen ich gerade das Mauern gezeigt habe. Ständig läuft er, einen abgebrochenen Werkzeugstiel als Waffe nutzend, herum und verbreitet Angst und Schrecken. An mich kann er nicht heran, da ich immer noch die Funktion eines Poliers habe, und wenn handwerkliches Können gefragt ist, muß ich den Brüdern in der Kolonne helfen. Ich empfinde auch eine Mitverantwortung ihnen gegenüber, sie sind beträchtlich älter, und ich habe sie in dieses Kommando geholt. Nun soll ich möglicherweise zuschauen, wie einer nach dem anderen von diesem Verbrecher erniedrigt und getötet wird.

In dieser Zeit suche ich nach biblischen Beispielen, die zeigen, daß man nicht resignieren soll. Einst besiegte ein kleiner Hirtenjunge einen riesenhaften Mann, den Vorkämpfer der Philister. Ich denke daran, daß Jehova die Möglichkeit hat, diejenigen zu bewahren, die ihn lieben, und die Gesetzlosen dahinzuraffen. In schlaflosen Nächten bitte ich Jehova um Mut, Energie sowie um Führung und Weisheit. Mein Entschluß, diese Bestie zu besiegen, steht nun fest. Daher sage ich an einem Abend zu Otto Martens: »Einundzwanzig Brüder haben wir verloren, ich bin nun der zweiundzwanzigste. Komme was da wolle, ich kann und ich will nicht mehr. Morgen komme entweder ich oder kommt dieser Verbrecher nicht mehr von der Baustelle zurück.« In der Lagerschreibstube bitten wir gemeinsam Jehova um seine weise Führung.

Am nächsten Tag legt Westphal wieder die bei ihm übliche Platte auf: Gebrüll, Ohrfeigen, Fußtritte, im

Laufschritt arbeiten. Inzwischen habe ich allen Brüdern eine feste Arbeit gezeigt. Ich hole mir meine Bauzeichnung, lege eine Baubohle über die Ecke meiner Grundmauer und stelle meinen Spalthammer griffbereit zurecht. Mit der Zeichnung in der Hand gebe ich den Brüdern noch Maße für die Zwischenwände an. Just in dem Augenblick ruft Westphal, seinen abgebrochenen Pickhackenstiel haltend: »Ich verlange von dir, daß du alle Fehler anzeigst, die deine Brüder machen, damit ich sie maßregeln kann.«

Nun ist der Zeitpunkt gekommen. So laut ich nur kann, schreie ich ihn an: »Die SS verlangt von mir nicht, daß ich zum Verräter meiner Brüder werden soll. Und ...« Mit üblen Schimpfworten, die ich in den ersten KZ-Jahren gelernt habe, aber die ich aus Scham nicht wiedergeben werde, fordere ich ihn zum Zweikampf heraus. Er bekommt noch zu hören: »Kommst du näher als drei Schritte, spalte ich dir den Schädel!«

Feige, wie Verbrecher wohl meist sind, dreht er auf dem Absatz um, rast zum SS-Kommandoführer und meldet eine Meuterei. Darauf steht die Todesstrafe. Pflichtgemäß reißen die Wachposten ihre Gewehre von der Schulter, bereit, der Meuterei schnellstens ein Ende zu machen. Ich lasse mich jedoch nicht einschüchtern.

Kommandoführer Hamer, aus Rinteln stammend, läßt Westphal stehen, kommt kopfschüttelnd auf mich zu und ermahnt mich, ich solle nein sagen. Statt seiner erwarteten

Antwort sage ich: »Ja, ich meutere!« Ich brülle so laut, daß es alle Wachposten hören, und füge noch hinzu: »Entweder er oder ich. Einer von uns geht von dieser Baustelle, selbst wenn sie mich auf dem Rücken wegtragen.« Für mich ist es undenkbar, in dieser Situation zu lügen. Schließlich stecke ich bereits fünf Jahre um der biblischen Wahrheit willen im KZ. Außerdem sieht mein körperlicher Zustand so aus, daß der Tod eine Erlösung zu sein scheint.

Nun kämpft auch noch die SS um mein Leben! Hamer versucht, mich mit dem Berufsverbrecher wieder zu versöhnen. »Kommt, gebt euch die Hand, und ich habe nichts gesehen«, ruft er. Meine Antwort lautet: »Herr Hamer, haben Sie schon einmal etwas von Ehre gehört? Einem Verbrecher und Mörder die Hand geben – niemals!«

Dem Oberscharführer schießen die Tränen in die Augen. Er marschiert von einem Wachposten zum anderen und unterhält sich kurz. Schließlich kommt er zu mir, bittet mich, mit niemandem über meine Meuterei zu sprechen. Darauf bin ich eingegangen.

Nach unserem Einrücken am Abend berichte ich dem Lagerältesten, Bruder Otto Martens, daß ich mein gesetztes Ziel nicht erreicht habe. Otto sorgt sich, da die Berufsverbrecher gut organisiert sind und sich gegenseitig unterstützen. Häftlinge, die ihnen im Wege stehen, werden nachts lautlos ermordet. Ihre Methode besteht darin, dem fest schlafenden Häftling einen Gegenstand in den Mund zu stopfen, damit er nicht schreien kann. Dann schleppen sie ihn unter die kalte Brause und duschen ihn, bis der Körper des hilflosen Opfers leblos erstarrt. Als Todesursache vermerkt man in den Papieren »Kreislaufversagen«. Oder man hängt ihn auf, so daß es nach Selbstmord aussieht.

Für mich bedeutet das: Wachbleiben. Einschlafen kann den Tod bedeuten. Die Nacht gestaltet sich sehr lang, wenn man wartet. Das kleinste Geräusch beunruhigt. Aber es bleibt ruhig.

Im Morgengrauen heulen die Sirenen. Alle haben zum Zählappell anzutreten. Die Scheinwerfer leuchten auf und blenden unsere müden Augen. Die Zählung wird zwei- bis dreimal wiederholt. Es haut nicht hin. Ein Häftling fehlt. Die SS-Mannschaft sucht den elektrischen, mit dreihundertachtzig Volt geladenen Zaun ab, aber es hängt keine verkohlte Leiche im Draht. Durch die Lautsprecher ertönt aufgeregt das Kommando: »Alles in die Kniebeuge!« Vor lauter Schwäche und Aufregung verliere ich mein Gleichgewicht. Meine Nebenmänner stützen mich so, schätzungsweise für fünfzehn Minuten.

»Wir haben ihn«, kommt dann der erlösende Satz. »Der Kapo Westphal vom Kommando Waldsiedlung hat sich erhängt.«

Wie so oft, danken wir Jehova, der uns vor unseren Feinden retten kann. Ich danke ihm auch dafür, daß er mich vor einem Blutvergießen bewahrt hat.

SS-Wachmannschaft
im KZ Niederhagen
(Wewelsburg)

Kann man

Tragödien

positive Seiten

abgewinnen?

Einer der besten Bauhandwerker aus unserer Gruppe, Bruder Erich Nikolaizig, hat einen schweren Arbeitsunfall. Der Anhänger eines Lastwagens muß von den Brüdern wegen der Enge des Tores von Hand gedreht werden. Dabei quetscht sich Erich die Hand zwischen Anhänger und Mauerwerk, so daß sich die Haut von Hand und Fingern ablöst. Jede freie Minute nutze ich, um seine Hand zu verbinden und zu pflegen. Ich bekomme eine Sondergenehmigung und kann mir von zu Hause zwei Gläser Bienenhonig schicken lassen. Meine Schwester Anna hatte meine Bienen weiter versorgt. Den Bienenhonig habe ich vorsichtig auf Erichs Wunde aufgetragen. Dadurch ist die Verletzung jedenfalls vollständig wieder geheilt.

Liegen wieder Arbeiten direkt auf der Burg an, muß jede andere Arbeit zurückgestellt werden. Auf dem Vorplatz, zwischen Stabsgebäude, der katholischen Kirche, der Wohnung des Pastors und der Burg, wird eine Zisterne, ein Wasserbehältnis, in den Burgfelsen gegraben. Der Aushub wird mit auf Schienen laufenden Loren zum Burgabhang gebracht und dort abgekippt.

Die körperlich schwachen Häftlinge können oft die schweren Muldenwagen nicht richtig festhalten. So stürzen die Loren unter ordentlichem Getöse den hohen Burgberg hinunter. Die SS sieht das als Sabotage an. Dafür müssen dann die vermeintlichen Verursacher abends strafexerzieren, ohne Rücksicht auf den körperlichen Zustand. Beim

Exerzieren bleiben immer einige ohnmächtig auf dem Appellplatz liegen.

Ein neues Kommando muß am nächsten Morgen zusammengestellt werden, oft aus Bibelforschern bestehend. Gewöhnlich leitet Willi Wilke solche Einsätze. Die Brüder gehen normalerweise gerne mit, obwohl nicht allen die körperliche Strapaze gefällt. Willi, der auch oft in der Lagerschreibstube bei Otto Martens arbeitet, wird an einem Sonntag bei der Strafarbeit fürchterlich drangsaliert. Bei dieser Gelegenheit zerschlägt man ihm das Rückgrat, und dies nur, weil er schwachen Brüdern beistand.

In der Waldsiedlung haben wir dem Obersturmführer Jordan ein Haus zu bauen. Er beschäftigt sich damit, auf der Burg ein Museum einzurichten. Sein eigentlicher Beruf ist Wehrgeologe, und er beschäftigt sich mit Ölschieferforschung. Wenn ich beim Zisternenbau an der Burg den Felsen mit aufbrechen muß, finde ich viele Fossilien, die für ihn enorm wichtig sind. Manchmal entdeckt man beste Exemplare von versteinerten Krebsen, Wasserspinnen und anderen Versteinerungen.

Eine große Überraschung erlebe ich an einem sonnigen Arbeitstag. Dieser Tag bringt zumindest für meine beiden nächsten Jahre hier etwas Hoffnungsschimmer. Gäste der Burg, die Damen in Weiß, die Herren in ihren SS-Galauniformen, ziehen an unserer Zisternenbaustelle vorbei. Eine der Damen bückt sich über den Rand der Baugrube und spricht mich an: »Ruth ist auch hier, hast du sie erkannt?« Das ist Frau Wippermann aus Marienfels, und sie spricht von ihrer Tochter Ruth, die inzwischen mit einem hohen Polizeichef aus Prag verheiratet ist. Ruth kenne ich aus meiner Schulzeit. Frau Wippermann meint: »Sie möchte dich unbedingt sprechen.«

Frau Wippermann steht dem Büro der Burgverwaltung vor. Später holt sie in einem unbewachten Augenblick ihre Tochter, bringt sie zu mir und schließt uns für zwanzig Minuten zu einem Gespräch ein. Ruth staunt, daß ich ihr in dieser Lage Zeugnis gebe und von einer Hoffnung für die Zukunft spreche. Wenn ihr Mann erfährt, daß sie unter den Gefangenen mit einem Bekannten spricht, erschießt er uns beide. Ruth ist gekommen, um mich zu bedauern. Ihre Mutter holt sie wieder ab, und ich empfinde eher Mitleid mit Ruth.

Während der Arbeit im Haushalt eines SS-Mannes belästigte dieser eine Gefangene. Die Frau verteidigte sich dermaßen mit einem Bügeleisen, daß es zu einem tödlichen Unfall kam. Sie soll im Bunkerhof exekutiert werden. Ich kann die Szene durch die Oberlichter einer angrenzenden Baracke beobachten. Ein Berufsverbrecher hat den Befehl, ihr die Schlinge um den Hals zu legen. Als er sich bemüht, zu ihr auf das Schafott zu steigen, und auf halber Höhe Halt gefunden hat, holt sie aus und schlägt ihn mit der Hand wieder herunter. Sie greift zu der vor ihr baumelnden Schlinge und legt sie sich selbst so ruhig um den Hals, als würde sie ihren letzten Schmuck anlegen. Mit einer großzügigen Handbewegung scheint sie anzudeuten: »So, meine Herren, walten Sie Ihres Amtes.«

Ein Häftling erzählt uns, daß er dem SS-Mann behilflich sein mußte, der die Verstorbene verbrennen sollte. Dieser SS-Mann schändete die Frauenleiche noch mit einer Eisenstange.

Die Verrohung einzelner SS-Männer ist manchmal unbeschreiblich. Viele zeigen bei ihren Demütigungen noch nicht einmal die kleinste Gemütsbewegung.

Sechsundzwanzig Brüder wollte man in der Art und Weise prüfen, daß man sie für »wehrtauglich« erklärte, sie musterte und sie zur Wehrmacht einzog. Sie weigerten sich, die Soldatenuniform anzuziehen. In den Kasernen wurden sie mit dem Schälen von Kartoffeln und mit Küchenarbeit beschäftigt, und außerdem auch noch gut verpflegt. Nach sechs Wochen hat man sie entlassen und zum Ärger der SS wieder in unser Lager zurücküberstellt. Entsprechend kühl ist auch der Empfang. Der Arbeitsdienstführer, Oberscharführer Rehn, kündigt ihnen an: »Wenn die Wehrmacht zu feige war, euch zu erschießen, legen wir euch um.«

Zuerst wird ein Schießstand gebaut. Die Länge eines Schießstandes hat fünfzig Meter zu sein. Bruder Schmidt soll mit einfachen Werkzeugen vermessen. Als er bei fünfundvierzig Metern angekommen ist, schlägt ein Wachposten mit dem

Paderborn, am 9.3.1942

Liebe Schwester u. Schwister.

Zu allererst sagen wir dank unserm guten Gott Schver was er an uns Menschenkindern getan hat. Wen er seine schützende Hand über die Welt nicht auch wir vertrauen, wollen wir doch immer zu ihm, dem erhabenen großen Schöpfer aller guten dinge, von Kindes ... Habe ich mich immer gefreut wenn die Ihren ... ermunternde Worte in deutschem Rückstauch zugesandt. Schönes Postblatt kann ich mir garnicht denken als in Gemeinem mit unsern einigen Gott und unserm Vater Jesu Christus zu sein. ... nicht ... mit dem ... hält ... und in seinem vorhaben Kinder guten hat, so wollen euch wir nicht verhehlen diese ... was wir zur ... tun können, ebenfalls zu halten. Wir bleiben vorläufig hier laut Anordnung des Generalkommandos arbeiten in Zivil. Könnte mir nicht mehrere Führer vorstellen mit einem Spart oder Gerecht in der Hand, im gegenteil es hast zu ... vor der Spart immer sich durch Dasselbe ... Müßten wir ... zum Rechnungsführer ... selbiger teilt uns mit, daß wir pro Tag 33⅓ ℛ Löhnung bekommen wenn wir uns aber einkleiden ließen, dan wir alle andern 1,00 pro Tag, Ehrsolysold u. für die Frauen Untersützung bekämen, kommt aber für mich und für alle die, die die Königsrechtintrossen vertreten nicht in Frage.

Brief von Gottfried Feustel – an meine Mutter - Rückseite -

*Anwortbrief meiner Mutter
– an Gottfried Feustel
- Vorderseite -*

3 Jahre nun hat und wie schnell sind dieselben
dahin gegangen, obschon es uns eine sehr lange Tren-
nung bedünkt. Wie freue ich mich daß Ihr unsern
Herrn und Heiland so trau und standhaft anhält
darum sei euch das anvergeßt und schreibe wenn
es möglich ist immer nochmal. Solltr ihr etwas
haben zu schreiben aber bitte, vielleicht kann ich
dir helfen und dann schreibe mich mal wer der
Schreibe ist, oder ist es noch ein leiblicher Bruder oder
Verwandter von dir? Darfst Ihr auch Buchstaben um-
gangen? Gestern abend habe ich meinem Neffen geschrieben und habe Ihn auch Eure Grüße ange-
richtet. Es würde mich sehr sehr freuen recht bald
wieder etwas von Euch zu hören und seid beide
recht herzlich gegrüßt von Eurer Schwester in Christo
 Anna Sollnny Wtw.
Schlage eine Briefmarke Marienfeld über Neustadten
 bei in Sachsen

Anwortbrief meiner Mutter
– an Gottfried Feustel
- Rückseite -

Gewehrkolben auf ihn ein, weil er zwischendurch Bucheckern aufgelesen hat. »Da habe ich auch nicht mehr weiter gemessen«, erzählt er uns später verschmitzt, »und habe gesagt, es seien fünfzig Meter.« Also wird der Schießstand um fünf Meter zu kurz hergerichtet. Das ist die Tragik der Vorschriften.

Tag für Tag und über mehrere Wochen schaufeln die sechsundzwanzig Brüder an der fünf Meter breiten Grube. Wintertags bei Regen und Schnee läuft die Grube voll mit Oberflächenwasser. Den einen oder anderen Häftling hat die SS schon mal in das gefüllte Becken geworfen. Frost schützt den Häftling nicht vor dieser Tortur, das Eis wird aufgeschlagen und der Häftling bekommt seine Abreibung. Bei der anschließenden Arbeit ist man dann sowieso so hart eingespannt, daß einem unmerklich beim Bibbern die Kleider an den Leib trocknen – wenn man noch etwas zuzusetzen hat, ansonsten ist es schlecht um einen bestellt.

Diese »wehrtauglichen« Brüder bekommen nur die Hälfte der sowieso mageren Verpflegung. Sie sind in einem besonderen Block untergebracht. Nachts können wir ihnen etwas Brot zuschieben. Aber sie schaffen es. Der Schießstand wird fertig. Als der Betonquader eingebracht wird, auf dem die Füße des angeblichen Delinquenten bei einer Erschießung aufgeschnallt werden, leben die Sechsundzwanzig noch.

Jahre nach diesen Ereignissen, präsentiert sich dieser Ort immer noch als stummer Zeuge, bis die Grube später von

Unbekannten zugeschüttet wird, um die Spuren der schrecklichen Begebenheiten zu verwischen.

Arbeitsdienstführer Rehn gibt sich nicht damit zufrieden, daß die Opfer dieses Werk »unbeschadet« überstanden haben. Ein Opfer muß mit Gewalt her. Er sucht sich den Schwächsten aus: Hermann Wenzel, gerade einmal fünfundzwanzig Jahre jung. Den will er abends zu Tode jagen. Hermann muß eine Schubkarre, beladen mit Steinen, auf dem Appellplatz im Kreis herumfahren, bis er ohnmächtig zusammenbricht. Häftlinge müssen dann Wasser holen und über ihn ausgießen, damit er wieder zu sich kommt. Die Prozedur wird dreimal wiederholt, bis Hermann liegenbleibt.

Mit sadistischer Genugtuung schreitet Rehn auf den leblosen Körper zu und schiebt ihn mit seinen Stiefeln an die Barackenwand. In der Annahme, wenigstens ein Opfer zu haben, schreitet er in der Dämmerung wie ein Feldherr nach einer gewonnenen Schlacht durch das Lagertor. Im Schutz der Dunkelheit ziehen wir Hermann vorsichtig aus dem Blickfeld der Wachposten und peppeln ihn so auf, daß er am nächsten Morgen wieder antreten kann.

Trotz der unmenschlichen und brutalen Behandlung leisten die Brüder eine gute Arbeit. Bestimmt rettet ihnen ihre zuverlässige Leistung das Leben. Ja sicher, diese Arbeitskräfte beutet die SS gerne aus, um ihre selbstsüchtigen Ziele zu verwirklichen. Verständlich, solche Leute sind zum Erschießen zu schade.

Arbeitsscheuen und Asozialen gegenüber handeln die Arbeitsdienstführer besonders gnadenlos. An einer Barackenwand hockt ein alter asozialer Mann auf einem Steinhaufen. Er zertrümmert größere Steinbrocken zu handlichen Formaten. Mit dem Material wird die Straße befestigt. Es herrscht Schneetreiben und Regen, und der Mann kauert steifgefroren da. Rehn sieht das, geht auf ihn zu und spricht ihn an: »Na, Alter! Frierst du?« Der Mann nickt nur, denn sprechen kann er nicht mehr, geschweige denn aufspringen, wie das von der SS verlangt wird. Rehn reißt den Mann am Arm hoch, zieht ihm die Hose herunter, füllt sie mit dem an der Barackenwand liegengebliebenen Schnee und zurrt ihm die Hose wieder hoch, anschließend setzt er ihn wieder hin.

Jahre nach dieser Schreckenszeit sehe ich Rehn und einige der ursprünglich so stolzen SS-Männer im Gerichtssaal in Paderborn wieder. Als Zeuge werde ich diesen Männern, den einstigen »Herrenmenschen«, gegenübergestellt. Rehn steht vor mir: ein alter, gebrochener Mann, im höchsten Grade schwindsüchtig. Ein wenig ähnelt er dem sterbenden Asozialen – auf den er nicht nur ohne Mitgefühl, sondern in einer perversen Übersteigerung absolut herzlos und arrogant reagiert hat. Ich blicke ihn genau an, aber das macht mich unfähig, dieses menschliche Wrack durch meine Aussage zu belasten – es geht einfach nicht. In derselben Verhandlungssache mache ich tief überzeugt eine Aussage über den ehemaligen Oberscharführer Hamer, der hier den Mord an einem Häftling zu verantworten hat. Ich kann das Gericht davon überzeugen, daß er mit Jehovas Zeugen heldenhaft umgegangen ist. Trotz meiner Meuterei hat er ein Verbrechen verhindert. Hamer wird freigesprochen.

Die Wewelsburg in der heutigen Zeit
(Reproduktion einer Postkarte
nach unbekannter Quelle)

Ängste,

Unsicherheiten,

aber auch

Zuversicht

beherrschen

das Rest-

kommando

In den letzten Tagen vor Auflösung des selbständigen Lagers »KZ Niederhagen« finden immer mehr Erschießungen statt. Man muß sich an den Geruch verkohlter Leichen gewöhnen. Transport für Transport wird zusammengestellt, um das Lager aufzulösen. Die Häftlinge bringt man nach Ravensbrück, Stutthof und Neuengamme. Der letzte Zug geht mit Lagerführer und Wachmannschaft nach Bergen-Belsen ins Vernichtungslager, hauptsächlich Juden.

Ein Arbeitskommando von einundvierzig Zeugen Jehovas und zwei politische Häftlinge bleiben in Wewelsburg, um die Pflege der Burg aufrechtzuerhalten. Zu unserem Wachpersonal gehören vierzehn SS-Männer und ein Kommandoführer. Wir werden wieder dem KZ Buchenwald unterstellt.

Das Siedlungsvorhaben »Waldsiedlung« wird zugunsten der totalen Mobilmachung stillgelegt. Mich teilt man dem »Arbeitskommando Burg« zu, zu den Malern und Anstreichern. Alle Fenster beizen wir ab und versehen sie mit einem frischen Anstrich.

Die Korrespondenz zwischen dem Arbeitskommando und dem Lager Buchenwald erledigt die Burgverwaltung, die auch die Urlaubsscheine für die SS-Wachmannschaft ausstellt. Das nun leerstehende Lager des ehemaligen KZ Niederhagen wird Flüchtlingslager für die ursprünglich kurze Zeit vorher auf polnisches Gebiet ausgesiedelten »Volksdeutschen«.

Anfängliche militärische Erfolge der Wehrmacht erweisen sich als Blendwerk. Die »heldenhaften Sieger« werden aufgerieben und ziehen sich an den vielen Fronten Stück für Stück mordend und tötend zurück. Die Waffen-SS setzt sich »siegreich vor dem Feind« ab, aber man darf es nur leise sagen. Auch die Flüchtlinge bringt man zum Schweigen, sie werden wie Gefangene von der Bevölkerung isoliert und haben Ausgangssperre. Barbarische Verbrechen und sinnlose Zerstörungen sind an der Tagesordnung. Agitatorisch klärt man uns auf, daß durchaus die Hoffnung auf einen »Endsieg« mit der »Wunderwaffe V1 und V2« bestehen würde.

Unser Arbeitskommando baut sich im ehemaligen Industriehof eine Tischlerwerkstatt als Unterkunft aus. Für das Wachkommando wird an den Industriehof angrenzend eine neue Baracke mit Küche und weiteren Wirtschaftsräumen angebaut. Ein neuer Zaun mit einer 360-Volt-Starkstromzuleitung wird nach dem alten Muster gebaut und soll ein Fliehen unmöglich machen. Kaum einer von uns denkt an Flucht. Es ist auch zwecklos, weil die Kraft fehlt und eine Orientierung nicht möglich ist. Unkalkulierbare Risiken sowie Angst vor einem Scheitern kommen dazu.

Was kann ich für meine Brüder tun? Ich bin nur einer der Häftlinge des Restkommandos. Ich sinne über eine realisierbare Möglichkeit nach. Bruder Werner Edling hat die Aufgabe, den neuen Zaun zu erstellen. Er braucht jemanden, der ihm unter die Arme greift. Ich habe Erfolg, denn ich darf bei ihm arbeiten. Nun setze ich meinen Plan um. An einem geeigneten Zaunpfahl bohre ich die Löcher so groß, daß man die Isolatoren mühelos auseinanderstecken kann. Der Zaun ist soweit installiert, jetzt muß die Schalttafel mit den Kontrolleuchten und der Zaunbeleuchtung hergerichtet werden. Das nachfolgende Problem bringt mich in arge Gewissenskonflikte: Sollen wir uns selbst eine Falle stellen? Wirft man einen von uns in den Draht, dann haben wir einen weiteren Bruder verloren!

Also müssen die Anschlüsse so gelegt werden, daß die Kontrolleuchten zwar brennen können, aber kein Strom in den Zaun gelangt. Außer unseren lieben und treuen Bruder Werner Edling wollen Willi Wilke und ich niemanden in unser Geheimnis einweihen. Als ich Werner meine Gedanken kundtue, sagt er im Berliner Dialekt: »Du bist verrückt. Die hängen mer uff!« »Mich hängen sie nicht auf, ich bin ja kein Elektriker«, entgegne ich. Daraufhin teilt er mir die Arbeit zu. Mit dieser Prozedur legen wir die Grundlage für eine zweijährige Untergrundtätigkeit.

Sozusagen unter den Augen der SS vervielfältigen wir den »Wachtturm« und andere biblische Literatur und lassen sie durch Kurierdienste verbreiten. Auf die nächtlichen Kontrollen werden wir durch ein gut funktionierendes Lichtsignal aufmerksam gemacht. Ansonsten weihen wir uns untereinander möglichst wenig oder gar nicht in unsere kleinen Unternehmungen ein, so spielt jeder seine Rolle und kennt die des anderen nicht. Eine Gefährdung für den jeweils anderen konnte man so ausschließen – wenn man nichts weiß, kommt man auch nicht in die Verlegenheit, zu plaudern oder etwas zu verraten.

Bruder Bernhard Draht ist der Wirtschaftsführer für die SS, sowie für die Häftlinge. Wenn die SS beispielsweise Zervelatwurst auf dem Teller hat – essen wir auch Zervelatwurst. Sogar mit Bäcker Fuest kann Bernhard abrechnen, daher bekommen wir einige Zentner Brot mehr.

Die Genauigkeit dieser Episode und der weiteren hat sich erst nach unserem Lageraufenthalt aufgeklärt, in der Lagerzeit ahnen wir etwas, wissen aber nicht genau, was Sache ist. Daß so manches nicht auffällt, schreiben wir dem Schutz Jehovas zu.

Bruder Erich Polster »organisiert« eine Schreibmaschine, beschreibt Matrizen und vervielfältigt biblische Botschaften. Andere führen Korrespondenz mit Glaubensbrüdern, empfangen am Bahnhof Boten mit dem »Wachtturm« und Papier. Bruder Ernst Wicht, unser Schuster, holt sogar seine Frau ins Lager und läßt sie in seiner Schusterwerkstatt im Lederregal übernachten. Einmal verschläft sie. Als ein SS-Mann seine Schuhe abholen will, fängt sie auf einmal an zu schnarchen.

Als Handwerker muß ich oft allein mit einem Wachposten ausrücken. Hin und wieder werden die Wachposten durch neue ersetzt. Wachmann Kinski aus der Slowakei, vielleicht Zwanzig, erzählt, er habe zu Hause eine eigene Jagd gehabt. Als die Deutschen kommen, wird ihnen alles weggenommen, auch die Jagd. Sie haben ihn angezeigt, als er einen Hasen erlegt habe, und er wird wegen »Wilddieberei« bestraft. Es werden damals gültige deutsche Gesetze angewendet. Man setzt ihm die Pistole auf die Brust, entweder Gefängnis oder die SS-Zugehörigkeit zu wählen. Kinski erklärt traurig: »Jetzt muß ich mit dem Gewehr im Anschlag hinter euch herlaufen. Ich schäme mich. Ihr seid ja intelligenter als wir. Ich möchte, daß du das weißt, wenn ich mal stolpere und ein Knall entsteht, brauchst du keine Bange haben. Ich habe das Pulver aus der Hülse geschüttelt.«

Kinski soll bei Gartenarbeiten Wache schieben. Während mehrere Häftlinge im Garten beschäftigt sind, setzt er sich an den Waldrand, schüttelt das Pulver aus den Patronenhülsen und entzündet es. Zu mir gewandt sagt er: »Damit keine Verwechslung vorkommen kann.« Ob er diese Zeit überlebt hat?

Wo Menschen zusammen sind, da menschelt es. Mit anderen Worten: bei uns gibt es nichts Vollkommenes. Oft schleichen sich Pannen ein, die uns dann Meldungen nach Buchenwald einbringen. Dort setzt man dann die Bestrafung fest. Alle Meldungen gehen über das Büro der Burgverwaltung, über den Schreibtisch der bereits erwähnten Frau Wippermann. Bruder Wilke verfügte meist über die Arbeitseinteilung. »Bubi, Kommando Burg«, herrscht er mich augenzwinkernd an. In der Burg gelingt es mir immer, unentdeckt die Tür des Büros zu erreichen: »Frau Wippermann, es ist wieder etwas unterwegs für den Papierkorb.« Bei der Lagerleitung in Buchenwald gelten wir als mustergültiges Außenkommando. Zwei Jahre haben wir uns keine Bestrafung eingehandelt.

Meine liebe Mutter schreibt mir wohl regelmäßig. Wir erhalten oft als drakonische Maßregelung ein Schreibverbot oder bekommen keine Briefe ausgehändigt. Außerdem werden die Briefe zensiert. In Mutters Briefen steht immer wieder dasselbe, keine Klagen, keine Hinweise, ich solle nach Hause kommen. Zum Schluß fügt sie regelmäßig an: »Bleib nur treu und brav.« Ich verspüre Sehnsucht nach Zuhause. Frau Wippermann geht in Urlaub, und ich bitte sie, meine unzensierten Informationen an meine Mutter zu überbringen. Frau Wippermann verbringt ihren Urlaub in Marienfels. Dort hat ihre Familie eine Jagd gepachtet.

Nach dem Urlaub brennt sie darauf, mir die Nachrichten meiner Familie zu übermitteln. Aber an diesem Morgen sind wir Häftlinge zu dritt in Gesellschaft eines Wachpostens, der ständig um mich herumstolziert. Ich habe ein gutes Verhältnis zu ihm, da ich die Gelegenheiten nutze, um mit ihm über biblische Vorstellungen zu sprechen. Aber an diesem Morgen kommt keine gute Unterhaltung zustande, er läßt mich einfach nicht allein. »Herr Klein«, so heißt der lange Wachmann, »haben Sie eigentlich nur auf mich aufzupassen?« »Wenn du mir sagst, was du vorhast«, antwortet er, »gehe ich.« Ich entgegne: »Es ist wohl besser, daß Sie das nicht wissen. An Urlaub sind Sie wohl auch nicht interessiert.

Frau Wippermann schreibt nämlich auch Ihre Urlaubsscheine.«

Er bohrt so lange, bis ich ihm sage: »Die Frau Wippermann hat mir etwas zu sagen.« »Das hättest du mir gleich sagen können.« Er geht, aber nur um die Ecke. Als nun Frau Wippermann kommt, stehe ich erhöht vor einem Fenster, und als sie mit ihrer Erzählung startet, baut sich Wachposten Klein hinter ihr auf. Ich lege vorsichtig den Finger auf den Mund, so daß sie schweigt. Aus meiner Enttäuschung mache ich keinen Hehl. Dem Wachposten deute ich mit Hand und Daumen an, daß er zu verschwinden habe. Wäre er nun lautlos wieder gegangen, so wie er gekommen ist, wäre nichts besonderes dabei gewesen. Aber Klein schlägt militärisch die Hacken zusammen. Frau Wippermann zuckt zusammen. Als sie sich wieder gefaßt hat, sagt sie: »Die haben ja ganz schönen Respekt vor euch.«

Nach unserer Freilassung haben wir uns mit Herrn Klein noch öfter getroffen und über gemeinsame Erlebnisse gesprochen. Berufsmäßig hat er sich gar nicht so großartig verändert. Er ist bei der Justiz untergekommen.

Rechter Zeigefinger

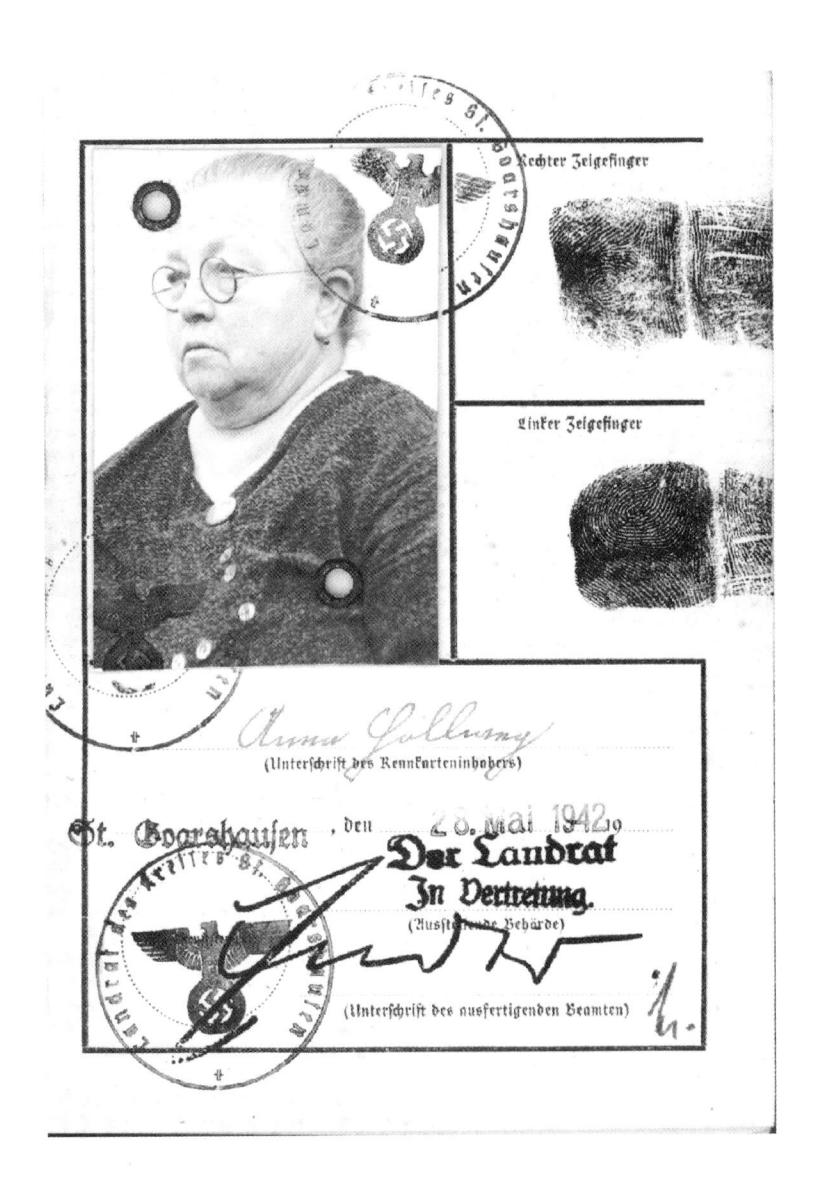

Linker Zeigefinger

Anna Gollnmy
(Unterschrift des Kennkarteninhabers)

St. Goarshausen, den 28. Mai 1942

**Der Landrat
In Vertretung.**
(Ausstellende Behörde)

(Unterschrift des ausfertigenden Beamten)

Es ist bestimmt in Gottes Rat,
daß man vom Liebsten was
man hat, muß scheiden.

Wir erhielten die traurige Nachricht, daß mein lieber Mann, unser herzensguter Vater von 4 Kindern, mein unvergeßlicher Sohn, Bruder, Schwager, Onkel, Neffe und Vetter

Paul Hollweg
Grenadier

im Alter von 38 Jahren bei dem am 8. 2. 1944 erfolgten Angriffs gegen die engl.-amerik. Stellungen am Landekopf Nettuno gefallen ist.

Ruhe sanft bis wir uns wiedersehn.

In tiefem Schmerz:

Frau Else Hollweg geb. Metz
und Kinder: Anna Hollweg
Margot Hollweg
Elfriede Hollweg
Paul Hollweg
Mutter und Geschwister.

Marienfels, Braubach, Oberlahnstein, ...burg, Berlin, Wewelsburg, Wiesbaden, Rußland, Ostheim bei Hanau und Zizigshausen.

Fr. Nehr & Söhne Oberlahnstein/Rh.

*Mein Bruder Paul,
der später in Nettuno/Italien
im Alter von 38 Jahren
gefallen ist*

Wir schnuppern etwas Morgenluft – unsere Lilienpferdmilchseife belebt den Geist

Wir stellen Seife selbst her, da wir mit unserer lächerlichen Zuteilung nicht auskommen. In den ersten Tagen der neuen Funktion als KZ-Außenlager ist unser altes Pferd, das wir im Lager hatten, verendet. Den Kadaver haben wir vor ungefähr acht bis zehn Wochen im Industriehof vergraben. »Davon kann man Seife kochen«, sagt Paul Buder. Gesagt, getan. Bruder Bernhard Draht bestellt Seifenstein, und wir graben den bereits in Verwesung übergehenden Leichnam des Tieres wieder aus. Es ist schon Seife geworden, aber mit einem unbeschreiblich scheußlichen Geruch. Da hilft die pompöse Bezeichnung »Lilienpferdmilchseife« nichts. Immerhin begleitet uns dieses Erzeugnis zwei Jahre lang bis zu unserer Befreiung.

Der Bürener Arzt Dr. Hagel ist unser Lagerarzt. Er wird nur dann gerufen, wenn ich mit schweren Fällen nicht allein zurechtkomme. Wenn die SS-Mannschaft eine Impfung gegen Grippe bekommt, muß ich ihm die Spritzen aufziehen. Über seine gefühllose Art bin ich jedesmal wieder entsetzt. Die Patienten schreien jedesmal vor Schmerzen. Als Bruder Willi Krause einen gefährlichen Karbunkel im Nacken hat, den man vorsichtig herausschneiden muß, assistiere ich. Die anschließende Gesundpflege überläßt er mir komplett.

An einem Tag befiehlt mir Kommandoführer Jakob, im Lager zu bleiben; sein neunjähriger Sohn ist krank. Der Junge hat an der linken Halsseite eine Vereiterung der Lymphdrüsen. Bis zur Brust zieht sich eine Geschwulst. Ich rate Jakob, seinen Sohn sofort ins Krankenhaus zu bringen, da durch eine akute Blutvergiftung Lebensgefahr besteht. »Das machst du«, antwortet er und fügt noch hinzu, »wenn das schiefgeht, schieße ich dir eine Kugel durch den Kopf.« Um noch etwas Zeit zu gewinnen, sage ich: »Zuerst muß ich mit Ihrer Frau sprechen.« Dazu muß ich anmerken, daß uns jegliches Gespräch mit einem Zivilisten verboten ist. Doch unser Kommandoführer setzt sich über dieses Verbot hinweg.

Mit Frau Jakob habe ich alle Einzelheiten und Risiken näher besprochen. Den Eingriff muß ich bei vollem Bewußtsein vornehmen, da mir kein Betäubungsmittel oder Lachgas zur Verfügung steht. Um dem Jungen nicht noch zusätzlich Angst zu machen, darf er mein Skalpell nicht sehen. Frau Jakob soll dem Kleinen alte Sachen anziehen, denn er wird vermutlich einen halben Liter Eiter und Blut in der Geschwulst haben. Außerdem soll sie bis zum nächsten Tag, dem angesetzten Operationstermin, Umschläge mit gekochtem Leinsamen machen.

Mein Skalpell habe ich sorgfältig im Jackenärmel versteckt. Während ich mit dem Jungen über seinen Biologieunterricht plaudere, erblicke ich einen Pirol, der auf einem Ast vorm Fenster sitzt. Als ich danach deute und das Kind sich umschaut, kann ich mit einem schnellen und präzisen Schnitt den Abszeß öffnen.

Wochen später operiere ich Frau Jakob an einem Schweißdrüsenabszeß. In der Werkstatt habe ich mir ein Gestell angefertigt, auf das sie ihren Arm legen kann; mit einem Gürtel befestige ich diesen an die Hüfte. Operiert habe ich dann ohne Narkose.

Im Flüchtlingslager gibt es ständig irgend etwas instandzusetzen, so daß wir zu dritt oder viert unter Bewachung unter anderem Kochkessel reparieren, auch des nachts, weil wir tagsüber woanders eingesetzt werden.

Die SS-Wachposten machen mit den Flüchtlingen so nebenbei noch ihre unlauteren Geschäfte. Der SS-Flüchtlingskommandant beklagt sich darüber bei unserem Kommandoführer.

Im Flüchtlingslager habe ich viele Gelegenheiten, ein biblisches Gespräch zu führen, sozusagen »Zeugnis« zu geben. An der biblischen »Wahrheit« interessierte Personen haben uns Brüdern Fragezettel zugesteckt, die wir abends schriftlich beantwortet haben. Auf diese Weise werden regelrecht »Rückbesuche« gemacht. Anhand des hereingeschmuggelten Buches »Die Harfe Gottes« führe ich sogar ein regelrechtes Heimbibelstudium durch. In dieser Zeit bessere ich mit Bruder Feilschifter die Kessel in der Küche aus.

Der Lagerführer des Flüchtlingslagers übergibt mir die Verantwortung für die Öfen in den Baracken. Er meint: »Für die Sicherheit des kleinen Bibelforschers kann ich allein sorgen.« So bringt man mich morgens ins Flüchtlingslager und holt mich abends wieder ab. Für den Zutritt zu sämtlichen Baracken bekomme ich einen Universalschlüssel, den ich an

Oh Wewelsburg, ich kann dich nicht vergessen!

    1. Strophe
Wenn der Tag erwacht eh die Sonne lacht,
die Kolonnen ziehn zu des Tages Mühn,
hinein in den grauenden Morgen.
Und die Steine sind hart, aber fest unser Schritt,
und wir tragen die Picken und Spaten mit,
und im Herzen, im Herzen die Sorgen.

    Refrain
Oh Wewelsburg, ich kann dich nicht vergessen,
weil du mein Schicksal bist.
Wer dich verließ, der kann es erst ermessen,
wie wundervoll die Freiheit ist.
Doch Wewelsburg, wir jammern nicht und klagen,
und was auch unsere Zukunft sei,
wir wollen trotzdem ja zum Leben sagen,
denn einmal kommt der Tag, dann sind wir frei.
Wir wollen ja zum Leben sagen,
denn einmal kommt der Tag, dann sind wir frei!

    2. Strophe
Und der Wald ist so schwarz und der Himmel rot,
und wir tragen im Brotsack ein Stückchen Brot,
und im Herzen, im Herzen die Liebe.
Und die Sehnsucht brennt heiß, doch die Lieben sind fern,
nur der Wind singt ihr Lied, doch ich hab sie so gern,
wenn treu, ja wenn treu sie nur blieben.

    Refrain
Oh Wewelsburg, ich kann dich nicht vergessen,
weil du ...

    3. Strophe
Und die Nacht ist so kurz und der Tag so lang,
doch ein Lied erklingt, was die Heimat sang,
wir lassen den Mut uns nicht rauben.
Halte Schritt Kamerad und verlier nicht den Mut,
denn wir tragen den Willen zum Leben im Blut,
und im Herzen, im Herzen den Glauben.

    Refrain
Oh Wewelsburg, ich kann dich nicht vergessen,
weil du ...

Das Wewelsburg-Lied wurde
von Buchenwalder und Wewelsburger
KZ-Häftlingen im Lager geschrieben

einer Schnur mit mir führe. Ein Blecheimer enthält mein Werkzeug und das notwendige Material. Ich stelle neue Öfen auf und repariere beschädigte. Aus ihrer Heimat vertriebene Menschen, die in eine ungewisse Zukunft gehen, tröste ich mit der »guten Botschaft von Gottes Königreich«.

Aufgrund unserer Predigttätigkeit im Flüchtlingslager erscheint bei einer Umfrage für die SS-Wehrertüchtigung keiner der jungen Männer. Das führt dazu, daß bei der Gestapo eine Anzeige gemacht wird und unsere Interessierten verhört werden. Während Männer der Gestapo vom Flüchtlingslager zum Kommandoführer unterwegs sind, werfen mir Flüchtlinge das schriftliche Ergebnis ihrer Befragung an einen Stein gebunden über den Zaun zu. Als ich vorgeladen werde, stimmen so unsere Aussagen überein.

Die Gestapo-Leute sind aber mißtrauisch und betonen: »Wir kommen bald wieder zurück, wenn sich die Fronten geklärt haben.« Für diese Aktion werde ich schließlich drei Tage in den Bunker verbracht, bei Wasser und Brot. Als Lagerstatt dient nur der kalte Zementfußboden. Die Strafe wird nicht in meine Papiere eingetragen, als Dank für meine ärztliche Hilfe an der Familie des Kommandoführers. Meine medizinische Unterstützung war ja auch nicht legal. Dies ist die letzte Bestrafung, als Abschluß einer verbrecherischen, menschenverachtenden und an und für sich unbeschreiblich schrecklichen Zeitperiode.

Bruder Paul Buder ist ein profunder Kenner von heimischen Pilzen. SS-Wachposten Schürmann erklärt sich dazu bereit, mit einigen Häftlingen im Wald Pilze zu suchen. Wir fühlen uns frei und schwärmen, den Posten im Auge behaltend, aus. In ernsthafte Lebensgefahr bringen mich eine Art epileptische Anfälle, die ich seit meiner Strafarbeit in unregelmäßigen Abständen bekomme. Die anderen ziehen weiter, ohne zu bemerken, daß ich nicht mehr dabei bin. Als alle Körbe gefüllt sind, sammeln sie sich und bemerken meine Abwesenheit.

»Wenn der weggelaufen ist, erschieße ich euch alle«, schreit der Posten. Die Brüder geben sich alle erdenkliche Mühe, ihn zu beruhigen: »Nein, der Bubi läuft nicht weg, dem ist irgend etwas passiert!« Suchend schwärmen die Brüder aus. Als ich wieder zu mir komme, stehen sie um mich herum. »So gründlich hättest du ja nicht zu suchen brauchen«, spotten sie. Zwischenzeitlich habe ich mit Armen und Beinen um mich gerudert und das umliegende Laub vom Waldboden gefegt.

Wir tragen mannigfaltigste Entbehrungen, aber der jetzige Zustand läßt sich nicht mit den vergangenen Jahren vergleichen. Damals fehlt im Baustofflager fast immer der Tapetenkleister und auch das Staufferfett, welches die hungrigen Häftlinge konsequent vor Hunger verspeist haben. Sie haben einen Tunnel gegraben, um an diesen Ort zu gelangen.

Bei einer Gelegenheit muß ich bei SS-Hauptsturmführer Ziegler einen Ofen aufstellen. Er befragt mich privat, obwohl ihm dies offiziell nicht erlaubt ist. Ich soll ihm sagen, was für eine Meinung ich von dem Führer Adolf Hitler und von Deutschland habe, und er würde mir genauso ehrlich sagen, wie er zu seiner Uniform gekommen wäre. Er erzählt, daß er als Deutscher ausgewandert sei und in Amerika ein Bankunternehmen gehabt habe, aber aus Liebe zu seinem Vaterland sei er gekommen, um den Deutschen zu helfen. Wir unterhalten uns über die realistische Wahrheit von Gottes Königreich, die »Zeiten der Nationen oder Heiden«, über die Schriftstelle aus Daniel 2:44 und sprechen über den Kampf um die Herrschaft der Nationen. Ich erzähle ihm, daß gemäß der biblischen Aussage Gottes Reich kommen, alle anderen ablösen und für immer bestehen wird.

Kurz vor dem Zusammenbruch des »Tausendjährigen« Reiches sehe ich Ziegler ein letztes Mal. Er ruft mich in sein Zimmer und sagt: »Sie befinden sich in einer beneidenswerteren Lage als ich. Gern würde ich meine Uniform mit ihrer Sträflingskleidung tauschen, wenn damit alles getan wäre.«

Frau Niemann kümmert sich um die Wirtschaftsführung der Flüchtlinge, für die sich die Ernährungssituation sehr schlecht gestaltet. Die Kohlgemüsesuppe ist nicht gut gekocht, sie riecht nach faulen Zutaten und kann von vielen einfach nicht gegessen werden. Bei uns ist Bruder Bernhard Draht für die Ernährung zuständig. Er kann besser organisieren.

Im Flüchtlingslager befinden sich vorwiegend Frauen und Kinder, Alte und Kranke. Alle wehrpflichtigen Männer sind eingezogen worden. Ständig kontrolliert die SS die Baracken. Die meisten können sich gegen deren Schikanen nicht wehren. Sie werden wegen des Bettenbaues kritisiert. Die SS bestimmt, ob sich jemand hinlegen darf oder wann die Baracken sauber gemacht werden dürfen und so weiter. Kurzum, die Flüchtlinge werden wie Gefangene behandelt. Zwei- oder dreimal die Woche dürfen sie aus dem Lager hinaus, um im nahen Wald Brennholz zu sammeln. Die Flüchtlinge sind Volksdeutsche, die im ursprünglichen Polen angesiedelt werden sollten, aber als der Zusammenbruch näher kommt, werden sie in den Westen verfrachtet. Man hält sie von der gewöhnlichen Bevölkerung fern, damit niemand erfährt, wie es wirklich um den »Endsieg« steht.

Die Familienmitglieder von Johann Müller, dem Schneider, lassen sich nicht wie Häftlinge behandeln. SS-Galauniformen sind jetzt nicht mehr angesagt, daher ist Johann als begehrter Schneider auch aus der Mode gekommen. Er wird zum Volkssturm eingezogen. Ähnlich geht es auch der namensgleichen Familie von Karl Müller. Karl muß beim SS-Bautrupp arbeiten. Beide Familien setzten durch, daß sie jeweils für sich ein Zimmer bekommen. Bei beiden Familien habe ich Öfen aufgesetzt, und in dieser Zeit sind wir miteinander ins Gespräch gekommen – letztlich hat sich daraus eine dauerhafte Freundschaft und sogar noch etwas mehr entwickelt.

Johann Müller und seine Frau Maria haben drei Kinder, die zwei Mädchen Rosi und Lisi und den behinderten Jungen Erwin. Er verstirbt später mit der Hoffnung auf eine Auferstehung. Rosi ist vierzehn Jahre alt und hat eine geschwächte Konstitution. Nach der Befreiung ist sie lange alleinstehend, später wird sie mit ihrer Mutter zusammen »Allgemeine Pionierin« der Zeugen Jehovas. Lisi heiratet später einen kriegsversehrten, ehemaligen Soldaten und jetzigen Glaubensbruder und übernimmt mit seiner Pflege eine größere Verantwortung.

Die Familienmitglieder des Karl Müller werden ebenfalls Jehovas Zeugen. Christine, die Ehefrau und Mutter, führt ein strenges Regiment. Familien mit Einzelzimmer können sich freier bewegen. So kann Christine im Dorf selbst etwas Eßbares beschaffen, wann immer sie will. Mit ihrer ältesten Tochter Mathilde studiere ich, wenn es möglich ist, das Buch »Die Harfe Gottes«. Die beiden weiteren Schwestern Olga und Amalie sind im Lager Augustdorf verpflichtet. Sie haben dort in der Küche der SS-Mannschaften Kartoffeln zu schälen. Eleonore, ihre vierte Tochter ist vierzehn Jahre alt und nach einer Erkrankung schwerhörig. Rudolf ist das Nesthäkchen der Familie und wird natürlich von seinen Schwestern verwöhnt. Er hat, wachstumsbedingt, immer Hunger. Rudolf verbringt eine Zeit seines Kindesalters in einem Wehrertüchtigungslager in Polen, von da aus bringt er regelmäßig eine Menge Läuse mit nach Hause. Wenn er uns das erzählt, schütteln wir uns vor Ekel. »Soviele Läuse habe ich in Jugoslawien nicht gehabt, wenn ich bei unserem Hund in der Hütte schlief«, betont Rudolf daraufhin scherzhaft.

Aufgrund seiner Erfahrungen ist es für Rudolf ganz klar; einmal und nicht wieder in einem solchen Lager zu leben. Als sich die Jugendlichen aus dem Flüchtlingslager zur SS-Wehrertüchtigung melden sollen, halten sich alle versteckt. Rudolf haßt die SS wie die Pest.

Leider ist die Todesrate bei den körperlich geschwächten Flüchtlingen verhältnismäßig hoch, so daß man die gewöhnlichen Aufenthaltsräume der Massenunterkünfte oft für die sogenannte Totenwache herrichtet. Manchmal bietet sich mir die Möglichkeit, in dieser Situation einige tröstende Worte an die Trauernden zu richten. Gewöhnlich habe ich meinen Werkzeugeimer dabei und postiere mich am Ofen, damit ich nicht unglücklich von der SS überrascht werde, während die Flüchtlinge abwechselnd Wache stehen.

Die Kriegsfront kommt immer näher. Die Wachposten werden immer nervöser und unsicherer. Von unseren Häftlingsunterkünften aus sehen wir den Himmel über Paderborn hell erleuchtet. Innerhalb kurzer Zeit haben die Alliierten einen Bombenteppich über die Stadt gelegt. Jetzt überschlagen sich die Ereignisse.

Frau Niemann verhandelt mit der SS-Lagerleitung über die Versorgungslage der Flüchtlinge. Dabei hört sie, daß wir dreiundvierzig KZ-Häftlinge notfalls zu erschießen sind.

Grund dafür ist wohl unter anderem das Wissen um versteckte Kunstgegenstände, die teilweise von uns eingemauert worden sind.

Rosi und Eleonore kommen, von ihren Müttern geschickt, mit einem Arm voller Zivilkleidung an den Zaun, der uns von dem Flüchtlingslager trennt: »Max, du mußt fliehen, die erschießen euch alle.«

Beide sind enttäuscht, weil ich sie schroff abweise. Frau Niemann sagt uns, daß die Häftlinge durch den Tudorfer Wald geschickt werden sollen, um dann in ein Maschinengewehrfeuer zu geraten. Nachher könne dann niemand mehr rekonstruieren, ob wir von der SS oder vielleicht von den anrückenden Amerikanern erschossen worden sind. Um drei Uhr nachmittags sollen wir abmarschieren.

Kurz vor halb drei klingelt bei unserem Kommandoführer das Telefon. Zehn Häftlinge sollen zur Burg geschickt werden, um die Fluchtautos der SS zu beladen. Ich melde mich als erster freiwillig. Während wir emsig und unter äußerster Eile beladen, sehe ich Frau Wippermann und verabschiede mich von ihr.

Plötzlich bekommen wir Panzerbeschuß vom Kleinen Hellweg aus, aus Richtung Salzkotten. Der General der Waffen-SS und Burghauptmann befiehlt: »Alles in Deckung!« »Alles«, diesen Ausdruck nehmen wir zehn Häftlinge natürlich auch für uns in Anspruch und hieven uns flugs in ein

Versteck, in dem uns selbst die SS nicht gefunden hätte. Wir hören keine Entwarnung, also bleiben wir im Versteck, bis es dunkel wird. Niemand sucht uns. Unser Exekutionstermin ist längst verstrichen. Ein politischer Häftling geht im Schutz der Dunkelheit, um nach der SS zu sehen. Er kommt nicht wieder zurück. Die SS-Leute hier an der Burg sind geflohen. Auf Umwegen schleichen wir uns ins Lager zurück.

Am nächsten Morgen besetzen die Alliierten die Burg, das Dorf und das Lager. Die übriggebliebene SS-Wachmannschaft wird entwaffnet. Eine Ausgangssperre wird verhängt, und US-Soldaten übernehmen erst einmal die Wache über uns. Uns wird erzählt, daß ein Rollkommando mit dem Ritterkreuzträger Macher unterwegs ist, um die Burg zu sprengen. Unsere Schlafräume würden sie mit Panzerfäusten beschießen und uns vernichten.

Einen Tag später bekommen wir die Information, daß ein Scharführer Zensen den Befehl erhalten hat, die Häftlinge zu erschießen. Er sei aber selbst geflohen und auf der Flucht erschossen worden. Der vierte und letzte Gedanke uns zu liquidieren, kommt von unserem früheren Kommandoführer Jakob selbst.

Konzentrations-Lager Sachsenhausen
Niederhagen

Familienname: **Hollweg**
Vorname: **Max** Eugen
geb. am **7.12.10** in **Remscheid**
Beruf: **Maurer**
Religion: .... Staat: ....
verh., led., gesch.
Kinder:

J.B.V. Häftling Nr. **89**
Block:
Schutzhaft angeordnet:
am: **14.7.38** durch (Behörde): **Gestapo/Frankfurt Main**
Bisherige Parteizugehörigkeit: **keine**
Vorstrafen: **keine**

Grund:

eingeliefert: **24.9.38 K.L.Bu.**
1.9.41 K.L.Ndh.
entlassen:
überführt:
zurück:

(Lichtbild)

Strafen im Lager

Am 25.3.43 / 6 Stunden Strafarbeit weil er unberechtigterweise einen gebräunten Block betreten hat.

Besondere Bemerkungen:

KL: Niederhagen   Häftl.-Nr.: 89 Bife

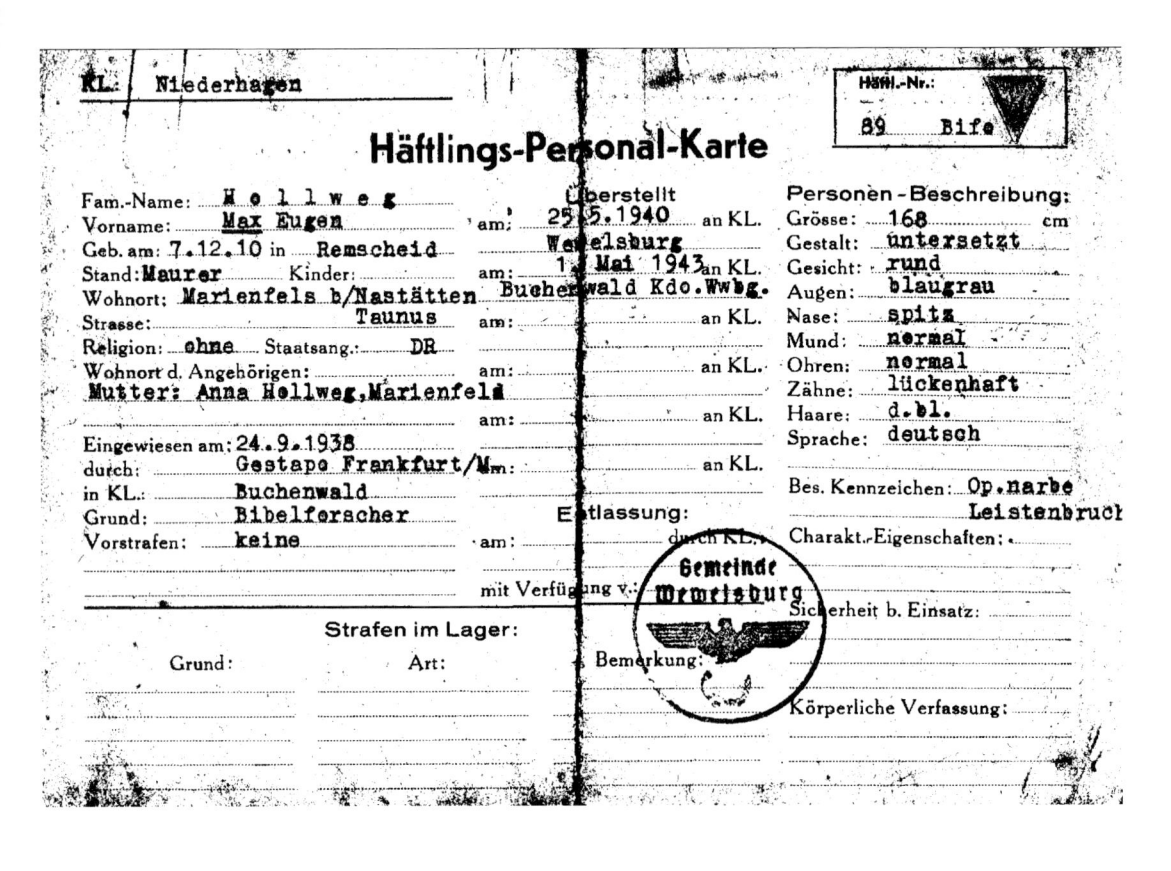

Häftlings-Personal-Karte

Fam.-Name: **Hollweg**
Vorname: **Max Eugen**
Geb. am **7.12.10** in **Remscheid**
Stand: **Maurer**   Kinder:
Wohnort: **Marienfels b/Nastätten**
Strasse: **Taunus**
Religion: **ohne**   Staatsang.: **DR**
Wohnort d. Angehörigen:
Mutter: Anna Hollweg, Marienfeld

Eingewiesen am: **24.9.1938**
durch: **Gestapo Frankfurt/M**
in KL.: **Buchenwald**
Grund: **Bibelforscher**
Vorstrafen: **keine**

Überstellt
am: **25.5.1940** an KL. **Wewelsburg**
am: **1. Mai 1943** an KL. **Buchenwald Kdo. Wwbg.**
am: an KL.
am: an KL.
am: an KL.
am: an KL.

Entlassung:
am: durch KL.
mit Verfügung v.:

Personen-Beschreibung:
Grösse: **168** cm
Gestalt: **untersetzt**
Gesicht: **rund**
Augen: **blaugrau**
Nase: **spitz**
Mund: **normal**
Ohren: **normal**
Zähne: **lückenhaft**
Haare: **d.bl.**
Sprache: **deutsch**

Bes. Kennzeichen: **Op.narbe Leistenbruch**
Charakt.-Eigenschaften:
Sicherheit b. Einsatz:
Körperliche Verfassung:

Strafen im Lager:
Grund: Art: Bemerkung:

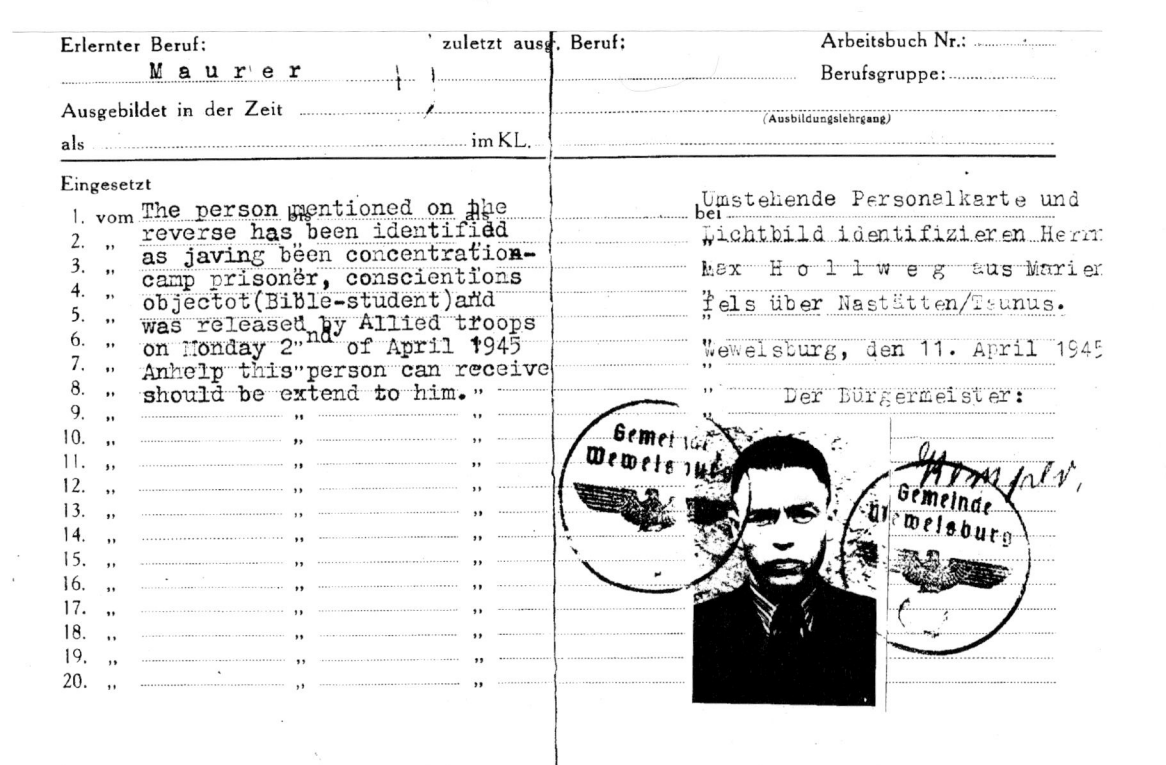

Erlernter Beruf:	zuletzt ausg. Beruf:	Arbeitsbuch Nr.:
M a u r e r		Berufsgruppe:

Ausgebildet in der Zeit .... /

als .... im KL.   (Ausbildungslehrgang)

Eingesetzt

1. vom The person mentioned on the   bei Umstehende Personalkarte und
2. „   reverse has been identified   Lichtbild identifizieren Herrn
3. „   as javing been concentration-   Max H o l l w e g aus Marien‑
4. „   camp prisoner, conscientious   fels über Nastätten/Taunus.
5. „   objectot(Bible-student)and
6. „   was released by Allied troops   Wewelsburg, den 11. April 1945
7. „   on Monday 2"nd of April 1945
8. „   Anhelp this person can receive   Der Bürgermeister:
9. „   should be extend to him."
10. „
11. „
12. „
13. „
14. „
15. „
16. „
17. „
18. „
19. „
20. „

Die Wewelsburg nach Kriegsende
(Foto: National Archives, Washington, D.C.)

*Das Wewelsburger Restkommando
(Motiv reproduziert nach einer unbekannten Quelle)*

Nr.	Nr.	Name	18.12.43	16.1.1944	6.8.1944	14.2.1945	Bemerkung Größe	Nr.	Nr.	Name	18.7.43	16.1.1944	6.6.1944	14.2.1945	Bemerkung Größe
1	13565	Albert Hans	68.5	67.5	68	62.5	1.67	25	13590	Rekett Wilh.	60	61.5	58.5	—	1.58
2	566	Böttcher Franz	65.5	65	60	64.5	1.57	26	592	Ruddek Aug.	78.5	74	72		1.72
3	567	Brackenveier Fritz	60.7	62	65	64	1.63	27	593	Ruddek Franz	79	80	83.5	76	1.78
4	568	Buder Paul	68.5	66	62	66	1.22	28	594	Rudner Theo	71.-	75	70.5	71	1.69
5	569	Dormeier Karl	68.5	73	68	67	1.68	29	595	Rzadkowski Alb.	72	73	72		1.71c
6	571	Drath Beruk.	74.5	76	78	80	1.64	30	596	Schmidt Adolf	68	67.5	64.5		1.71.5
7	572	Edling Werner	58.5	60	60	59.5	1.64	31	598	Schubert Matt.	67	70	70.5		1.62
8	573	Hellwig Max	65.5	64	60.5	64.5	1.68	32	599	Schubert Richard	58.5	58.5	57		1.63
9	574	Hüter Kurt	72	71	68.5	69	1.68	33	600	Schümann Heinr	70	68	67.5		1.74.5
10	575	Kaiser Aug.	73.5	74	70.5	70.5	1.23	34	601	Spreckt Ernst	74	79	78.5	86	1.65.5
11	576	Kellermann K.	65.5	69.5	63.5	64	1.66	35	602	Sponsel Theo	63	64.5	61.5		1.68
12	577	Klammer Vikt.	59	61	60.5		1.68	36	603	Stessen Otto	63.5				
13	578	Klophe Georg	70	70	68	70	1.73	37	604	Struthof Herm	72.5	71.5	68		1.70
14	579	Knie Heinr	61	66	63.5	64	1.65.5	38	605	Tademann Peter	68.5	71	68		1.69
15	580	Krause Wilh	66.5	72.5	72	75.5	1.64	39	606	Wagner Erich	64	63.5	61.5		1.69.5
16	581	Lewandowski	61.5	64	61.5	64	1.55.5	40	607	Wenzel Herm.	54	54	49	52	1.60
17	582	Minne Karl	61	63	58	61.5	1.64	41	608	Wirth Ernst	73	75	72.5	74.5	1.62.5
18	583	Müller Arthur	68	68	63.5	64.5	1.70	42	609	Wilke Willi	72.5	70.5	68.5	68	1.72
19	584	Nivoleisky Erich	69	72	67.5	71	1.65.5	43	611	Zabel Johannes	65.5	64	60.5	63	1.64
20	585	Osedmann Alb.	76.5	80	78	79	1.68	44	612	Zetschke Kurt	73.5	79	78.5	76	1.78
21	586	Peters Anton	86.5	86	84.5	84.5	1.75								
22	587	Pfeilschifter Josef	68.5	72	69.5	66	1.69								
23	588	Polster Emil	69	68.5	64.5	64.5	1.69								
24	589	Priefs Richard	67	68	65.5	66.5	1.24								

Auszüge aus unseren heimlich geführten Krankenlisten

Endlich zu Ende – das Lager löst sich zähflüssig auf

Als Häftlinge hatten wir einem SS-Sturmführer und Adjutanten des Generals Bernhardt und seiner Familie eine Wohnung ausbauen müssen. Dieser Mann ist ein hochdekorierter Soldat mit der Auszeichnung der Nahkampfspange, aber schwer kriegsbeschädigt, so daß er nicht mit der übrigen SS fliehen kann. Er lernt später die »gute Botschaft« kennen und wird ein Zeuge Jehovas.

Zu diesem Herrn Bernhardt kommt nun unser ehemaliger Kommandoführer und bittet um den Befehl, uns erschießen zu dürfen. Doch Bernhardt gibt ihm den Befehl, auf seinem Platz zu bleiben, bis man ihn abhole.

Einige Wochen später, nach Kriegsende und unserer Freilassung, begegnet mir Jakob auf dem Paderborner Bahnhof. Als er mich erkennt, läuft er davon. Aber ich bin schneller. Ich gebe ihm kurz ein biblisches Zeugnis und versichere ihm, daß Jehovas Zeugen keine Rache üben. Er brauche vor keinem zu fliehen. Sichtlich erleichtert verabschiedet er sich dann.

Die Dorfbevölkerung vermißt die davongelaufenen SS-Leute nicht. Im Gegenteil, alle atmen befreit auf. Schweiß auf der Stirn haben allerdings diejenigen, die im öffentlichen Dienst stehen und in der NSDAP organisiert sind. Dazu gehören auch die Ärzte. Viele von diesen Leuten sind auf der Flucht. Außerdem geht die Entnazifizierung nur schleppend voran.

Mein körperlicher Zustand ist so, daß man mich zur Zeit als achtzigprozentigen Invaliden einstuft. Ohne Begleitung soll ich nicht reisen. Trotzdem führe ich im Lager eine ambulante Praxis durch. Unser bis dahin tätiger Bürener Lagerarzt Dr. Hagel hat für ambulante Chirurgie einen kleinen Verbands- und Instrumentenvorrat, mit dem ich mir einigermaßen helfen kann. Allgemein gibt es bei den Behandlungen im Flüchtlingslager keine Probleme. Bei der Behandlung von Kindern und Frauen muß ich dazulernen. Bruder August Kaiser aus Sprokhövel ist mir ein guter Lehrmeister. Er ist ein lieber, guter, schon älterer Heilpraktiker. Kaiser kann nur nicht verstehen, daß er mich nicht dazu bringen kann, nun endlich ein Mann zu werden und mit vierunddreißig ein nettes Mädel, vielleicht die Tochter eines reichen Bauern, zu heiraten.

Trotz meines siebenjährigen Lagerlebens hat sich mein ursprüngliches Vorhaben, im Vollzeitdienst stehen zu wollen, nicht verändert. Die medizinische Hilfe, die ich eigentlich nur in geringem Maße bieten will, artet regelrecht in ganztägige Arbeit aus. Ehemalige Helferinnen der SS bieten sich als Sprechstundenhilfen an. Gesetzlich wird eine Helferin vorgeschrieben. Aber wenn es schon sein muß, dann nur eine von den Familien Müller, denke ich mir, die gehen in der biblischen »Wahrheit« voll und ganz auf. Einen Anzug trage ich schon von Johann Müller. Karl Müllers Frau Christine müht sich um meinen Gesundheitszustand und peppelt mich regelmäßig mit einem geschlagenen Ei auf. Ich entscheide mich für deren Tochter Mathilde. Sie ist einundzwanzig. Ich

*Meine Frau Mathilde
vor unserer ersten, inzwischen
verfallenen, Ambulanz
(Aufnahme von 1995)*

Ich bezeuge, daß ich während meiner Tätigkeit als Architekt bei der SS Bauleitung in Wewelsburg Herrn Max Hollweg, zur damaligen Zeit Häftling, im Konzentrationslager, als Polier auf den verschiedensten Baustellen gekannt habe.
Mit seinen Leistungen in sämtlichen Baufächern war die Bauleitung sehr zufrieden.

A. KNICKENBERG
ARCHITEKT BDA
BELECKE / MÖHNE, KÜLBE
RUF: WARSTEIN 319

bitte Mathilde, mich in der Praxis zu unterstützen. Eine größere Verantwortung kommt auf uns zu. Wir sehen uns nach Unterkunft und Praxisräumen um. Das Lager löst sich zähflüssig auf. Viele wissen gar nicht, wo sie hingehören. Die beiden Flüchtlingsfamilien Müller kommen bei Großbauern unter.

Das nächtliche Ausgangsverbot, das die Militärregierung erlassen hat, gilt immer noch. Mein Gesundheitszustand bessert sich merklich, aber ich fühle mich noch nicht gesund und befürchte weitere Anfälle, daher traue ich mir auch keine Heirat zu. An einen Vollzeitdienst brauche ich bei diesem Zustand auch nicht zu denken. Mathilde würde den Dienst allerdings mit mir aufnehmen. Wir setzen uns in diesem Zeitraum mit besten Kräften neben der beruflichen Tätigkeit als Verkündiger für Gottes Königreich ein. Mathilde gibt sich Jehova hin und läßt sich taufen. Wir heiraten im Juni 1945 und bleiben schließlich bis 1950 in Wewelsburg.

Aus der Wewelsburger Bevölkerung können wir, aufgrund unserer Zeugnistätigkeit, noch Franz und Minchen Ruffing für die »Wahrheit« gewinnen. Tilda, wie ihre Familie und ich Mathilde nennen, sorgt nicht nur für die Praxis und unsere Wohnung, sondern auch für unseren Königreichssaal, zu dem unser Wohnzimmer für die religiösen Zusammenkünfte der Zeugen Jehovas regelmäßig umfunktioniert wird.

Unsere Wohnadresse in Wewelsburg ist die Waldsiedlung 7. Kurioserweise hatten wir Häftlinge das Haus ursprünglich für den SS-Offizier Jordan gebaut – zu dem Zeitpunkt haben wir keine Vorstellung davon gehabt, daß sich das Blatt in diesem Ausmaß je wenden würde. Zwar hatten wir trotz des gegenwärtigen, tagtäglichen Lebenskampfes im Konzentrationslager eine weitergehende Hoffnung, aber daß es für unser jetziges Leben noch so eine glückliche Wende gibt, damit hat niemand von uns jemals gerechnet.

Frau Jordan zieht mit ihren fünf Kindern aus und wir ziehen ein. Die Besatzungstruppen wechseln in unregelmäßigen Abständen. Amerikaner, Belgier, Briten – und wir beziehen jedesmal eine andere Notunterkunft.

Unsere letzte Unterkunftszuweisung ist ein Zimmer von zwölf Quadratmetern, die bilden dann Küche, Wohn- und Schlafraum sowie Praxis und Warteraum. Hier dürfen wir noch nicht einmal einen Ofen aufstellen. Dies macht uns die Hausbesitzerfamilie Schmidt zur Auflage, da der Kamin nicht in Ordnung ist. Ich habe Verständnis für Tilda, die sich darüber ärgert und weint. Daß man auch einschlafen kann und muß, wenn man im Bett einschneit, hat sie trotz vieler Strapazen auch noch nicht erlebt. Ich bin auf Ausgleich bedacht: »Wer weiß, was diese Frau (Schmidt) bei ihren Mietern schon alles erlebt hat.« In späteren Zeiten ist das alles kein Problem, Elektrogeräte in Hülle und Fülle bieten alle denkbaren Möglichkeiten, etwas Warmes zuzubereiten. Aber in den Nachkriegsjahren gibt es diesen Komfort nicht.

Am nächsten Morgen um halb zehn klopft es vorsichtig an unserer Tür – Herr Schmidt steht da, mit einer Kanne duftenden Kaffees. Eine Stunde später klopft es erneut und Frau Schmidt tritt ein: »Ich habe mir das überlegt. Das geht doch nicht, Frau Hollweg, Sie müssen doch kochen können.« Ich versichere ihr, daß ich ihr den Ofen fachmännisch und vernünftig anschließen werde. Am darauffolgenden Tag spricht mich Herr Schmidt wieder an: »Wo haben Sie denn Kohlen?« »Unter dem Bett in einem Karton«, ist meine Antwort. Er entgegnet: »Das geht doch nicht. Kommen Sie, ich zeige Ihnen eine Ecke im Keller. Da können Sie die Kohlen unterbringen.« Bei der nächsten Gelegenheit kann ich den Keller auch für Holzscheite nutzen.

Als Honorar für meine medizinische Betreuung bekomme ich von den Bauern des öfteren Naturalien in Form von Eingekochtem. Frau Schmidt bekommt dies mit und fragt: »Frau Hollweg, wo haben Sie denn Ihre Gläser?« »Auf unserem Kleiderschrank«, antwortet meine Frau. Frau Schmidt sagt daraufhin: »Kommen Sie mal mit!« Sie nimmt Tilda mit in den Keller, schließt den Vorratskeller auf und zeigt ihr ein Regal, in das sie all unsere Sachen verstauen kann. Schließlich zeigt sie ihr noch das Versteck des Schlüssels und erzählt, daß die Vormieter sie ständig bestohlen hätten und nicht sonderlich sauber gewesen wären.

Nach einiger Zeit wird die Wohnung in der Waldsiedlung 7 wieder frei. Trotz Zuweisung an uns besetzt Familie Freisenhausen schnell die Räumlichkeiten. Mit unangenehmen Erfahrungen, aber behördlicher Hilfe bekommen wir recht und stellen unser Wartezimmer letztlich wieder als Königreichssaal zur Verfügung.

Familie Schmidt bedrängt uns, doch unbedingt bei ihnen zu bleiben: »Wenn ihr bei uns bleibt, dann ziehen wir in euer Zimmer, ihr bekommt unsere Wohnung.« Nach einem knappen Vierteljahr sucht uns Frau Schmidt in der Waldsiedlung auf. Sie weiß weder ein noch aus, unsere Nachmieterin haben sie als streitsüchtige, böse Frau wegen Beleidigung angezeigt. Aufgrund unserer Aussagen, bei denen wir ein gutes Mietverhältnis mit der Familie Schmidt bestätigen, wird die Gegenpartei kostenpflichtig vor Gericht abgewiesen. Respekt vor dem Eigentum anderer trägt meiner Frau und mir den Segen Jehovas ein.

Mathilde »Tilda« und ich (Aufnahme aus den vierziger Jahren)

Tilda erweist sich als perfekte Gastgeberin, auch für reisende Prediger, das sind Glaubensbrüder, die im Vollzeitdienst stehen. In unserer Praxis verspüren wir ebenfalls den Segen Jehovas. Gerade auch, wenn ich lebensrettende chirurgische Eingriffe vornehmen muß – Ärzte sind immer noch rar gesät. Aber im Laufe der Zeit kommen die entnazifizierten Ärzte zurück, und ich bin gezwungen, mich einer medizinischen Prüfung zu unterziehen. Mittels Postkarte erfahre ich: »Sie wollen Dienstag, den 28. Mai 1946, um 9 Uhr zur Besprechung nach hier kommen. Gez. Dr. Sander (Medizinalrat). Staatliches Gesundheitsamt des Kreises Büren.« Letztlich werden meine medizinischen Fähigkeiten geprüft, und aufgrunddessen erhalte ich am 4. November 1946 meine Zulassung als Arzt.

Aber um eine Praxis als Arzt für Naturheilkunde weiterbetreiben zu können, soll ich noch Mitglied der Ärztekammer werden, die allerdings eine Mitgliedschaft ablehnt und ein zweisemestriges Nachstudium fordert – eine Erfüllung dieser Forderung ist mir bei der momentanen Lage der Dinge einfach nicht möglich. Bei dem Verband der Deutschen Heilpraktiker stoße ich anfänglich ebenfalls auf Ablehnung, mit der Begründung, daß man generell keinen Arzt für Naturheilkunde aufnehmen würde, denn diese haben eben Mitglieder der Ärztekammer zu sein.

Um weiter praktizieren und überleben zu können, komme ich bei den paradoxen Umkehrschlüssen der Kammern und Verbände nicht weiter. Kurzum, bei den endlos scheinenden Wegen einer Anerkennung hier oder da, einer Approbation, wie es im Fachjargon heißt, entscheide ich mich, auf den bereits anerkannten Titel als Arzt für Naturheilkunde zu verzichten. Ich lasse mich als Heilpraktiker prüfen. Der Verband der Deutschen Heilpraktiker nimmt mich damit auch auf, und ich komme so beruflich endlich vernünftig weiter. Schließlich geht es um die Sicherung der eigenen Existenz, auch der materiellen Überlebensfähigkeit der eigenen Familie. Bekanntlich lebt niemand von Luft allein.

Letztlich haben sich in der Nachkriegszeit die anfänglichen Schwierigkeiten, in der Startphase eines bürgerlichen Berufes, als Lappalien erwiesen. Ich bin in meiner beruflichen Funktion als Heilpraktiker von Jehova reichlich gesegnet worden.

Meine berufliche Arbeit, auch mein Dienst für Jehova, ist nur mit Unterstützung möglich gewesen. Die aus Waldenburg stammende Glaubensschwester Elli Scholz hilft mir anfänglich bei der administrativen Etablierung meiner Praxis. Später heiratet sie meinen leiblichen Bruder Erwin. Ab 1950 arbeitet die liebe und fleißige Glaubensschwester Gertrud Böhm über achtunddreißig Jahre lang als meine Sprechstundenhilfe in meiner Praxis.

Diese Schritte wurden notwendig, weil sich in unserer Ehe Nachwuchs angemeldet hatte. Am 19. November 1948 hat meine Frau Tilda unseren Sohn Herbert entbunden. Noch ein Jahr vorher haben wir uns beim neu entstandenen Zweigbüro der Wachtturm-Gesellschaft in Wiesbaden um den Vollzeitdienst, bei dem man auf eine entsprechende Zuteilung angewiesen ist, beworben. Aber familiäre Verpflichtungen haben nun auch beim eifrigen Predigen der guten Botschaft Vorrang.

Zusätzlich belastet durch das ständige Hin und Her – in nur einem Jahr mußten wir fünfmal umziehen – reift in

Mein Sohn Herbert
(Aufnahme ca. 1953/54)

»Früh übt sich,
was ein Meister werden will.«
(Schiller, Wilhelm Tell III, 1)

Mutter, meine
Schwester Elfriede
und mein Sohn Herbert
(Aufnahme ca. 1952)

Mein Sohn Ewald,
der heute im Baureferat
der Landeshauptstadt München
beschäftigt ist (Aufnahme ca. 1971)

uns der Gedanke an ein eigenes Heim. Dies errichten wir in dem kleinen Dorf Schlangen/Kreis Lippe. Dort leben wir noch heute. Die Endzeitaspekt des biblischen Evangeliums bestimmt von jeher mein Handeln. Die Dringlichkeit der Zeit, die in den Veröffentlichungen der Wachtturm-Gesellschaft hervorgehoben wird, nehme ich sehr ernst, und dies soll auch so bleiben.

*Bei unserem Ehejubiläum
(Aufnahme von 1995)*

*Unsere neue Heimat, die sich Mathilde »Tilda«
und ich in Schlangen geschaffen haben
(Aufnahme von 1997)*

*Die Sonnenseite unseres Hauses
(Aufnahme von 1997)*

Diese Aufnahme entstand 1951 während einer Dienstwoche in Wewelsburg, dabei sind einige überlebende Brüder des ehemaligen KZs Niederhagen (Wewelsburg)

*Einige Brüder vor den Ruinen von Kassel
(Aufgenommen beim Kongreß
der Zeugen Jehovas, Juli 1948)*

*Ein echter »Schlänger« Glaubensbruder,
der inzwischen verstorbene Gottlieb Göbel*

*Mit vereinten Kräften und großer Freude
wurden unsere Pläne verwirklicht.*

*Die Rohbauphase des ersten »richtigen« Königreichssaales
der Zeugen Jehovas in Schlangen (Aufnahme zirka 1953/54)
mit einigen Brüdern – übergangsweise wurde bis dahin unser
Wohnzimmer als Versammlungsstätte genutzt*

Der Königreichssaal der Zeugen Jehovas in Schlangen
(Aufnahme zirka 1960)

Der Königreichssaal der Zeugen Jehovas in Schlangen (Aufnahme zirka 1960) – der Versammlungssaal ist später erweitert worden und wird heute von mehreren Versammlungen genutzt

Anna Hollweg
geb. Biesel
∗ 15. 9. 1871
† 28.12.1958

Deine Toten
werden wieder aufleben,
meine Leichen
wieder auferstehen.

Im Jahre 1958 starb meine liebe und treusorgende Mutter
(Motiv: die rechte Seite des buchähnlichen Grabsteins)

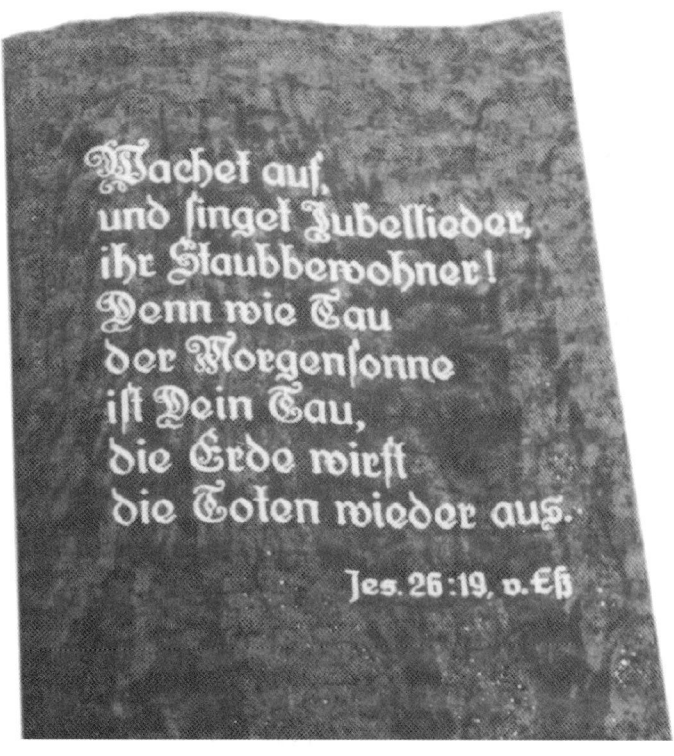

> Wachet auf,
> und singet Jubellieder,
> ihr Staubbewohner!
> Denn wie Tau
> der Morgensonne
> ist Dein Tau,
> die Erde wirft
> die Toten wieder aus.
>
> Jes. 26:19, v. Eß

Linke Seite des Grabsteins meiner Mutter – das Zitat spiegelt die biblisch begründete Hoffnung auf eine Auferstehung von den Toten wider

Mutters Grab

*Ein Regenbogen über unserer
Versammlungsstätte
(zirka 1960)*

*KZ-Überlebende beim Treffen
in Wewelsburg
(Aufnahmen von 1992)*

Ehemals inhaftierte Glaubensbrüder und -schwestern mit ihren Ehepartnern anläßlich der Mitgliederversammlung der Wachtturm-Gesellschaft in Selters, 21.10.1989

*KZ-Überlebende bei einem Treffen
vor dem Gut Böddeken/Wewelsburg
(Aufnahmen von 1992)*

Fünfzig Jahre nach diesen Ereignissen

Anläßlich der Sonderausstellung »Endlich Frieden!? Das Ende des Zweiten Weltkrieges im Paderborner Land« im Kreismuseum Wewelsburg, in der Zeit vom 2. April bis 14. Mai 1995, habe ich eine Eröffnungsansprache an die interessierte Öffentlichkeit richten dürfen.

Den Wortlaut meiner Ansprache will ich hier ungekürzt wiedergeben:

Endlich Frieden!

Liebe Wewelsburger! Meine sehr geehrten Damen und Herren der Repräsentanten des Kreises Paderborn! Werte Mitarbeiter der Bewegung Sühnezeichen! Liebe Glaubensbrüder und Bewahrer der Lauterkeit!

Gerne nehme ich das Vorrecht wahr, Euch an einige Dinge vor fünfzig Jahren zu erinnern. Immerhin werde ich in diesem Jahr schon fünfundachtzig Jahre alt, davon war ich fast zehn Jahre euer Mitbürger, liebe Wewelsburger.

Vor fünfzig Jahren sprachen andere für uns. Arrogante Menschen regierten mit brutaler Gewalt.

Nun zuerst ein paar Worte zu unserem Motto „Frieden". Es kann verschiedentlich angewandt werden: einmal – Abwesenheit von Krieg oder Unruhen; es kann auch den Gedanken an Gesundheit, Wohlergehen, Sicherheit und Freundschaft bedeuten.

In der ganzen Welt gedenkt man in diesem Jahr besonders der jüdischen Opfer. Zwei Jahre habe ich in Buchenwald mit diesen Menschen zusammen gelitten. Die entwürdigende, unmenschliche Mißhandlung und brutale Ermordung kann man im Einzelnen nicht wiedergeben.

Wenn auch die meisten Überlebenden inzwischen gestorben sind, möchte ich doch den schwer geprüften Hinterbliebenen ein von Herzen kommendes „Schalom" zurufen.

Ja, die Konzentrationslager waren ein Verbrechen an der Menschheit. Ob Berufsverbrecher mit grünem Winkel, Politische mit rotem Winkel oder Asoziale und fremde Volksgruppen mit schwarzem Winkel, auch Homosexuelle mit rosa Winkel, die im Sinne der nationalsozialistischen Gesetzgebung ihre Strafen verbüßt hatten, wurden widerrechtlich festgehalten und der Vernichtung preisgegeben.

Hier im Lager Niederhagen wurde im Jahre 1943 die Belegschaft immer wieder mit Kriegsgefangenen aufgefüllt, meist russischer Herkunft. In diesem Jahr der Auflösung betrugen die Verluste laut geführter Liste 63,7%.

Es sei in diesem Rahmen erlaubt, darauf hinzuweisen, daß im Konzentrationslager Niederhagen einundzwanzig meiner Glaubensbrüder teils bestialisch ermordet wurden oder an Hunger starben. Alle trugen stolz den violetten Winkel, der besagte: „Aus Glaubensüberzeugung wie die ersten Christen im ersten Jahrhundert – echte Bewahrer der Lauterkeit!"

Wir sind der Überzeugung, daß unsere Brüder im Gedächtnis unseres souveränen Gottes, des Herrn Jehova, sind.

Halten wir fest: Es gab keine Vergleichsgruppe zu den Zeugen Jehovas, denen eine Erklärung zur Unterschrift vorgelegt wurde, auf die hin sie entlassen werden konnten. Es gibt indes Geschichtsschreiber, die behaupten, diesen „Wisch" hätte jeder vernünftige Mensch unterschrieben. Hier im Museum ist dieser sogenannte „Wisch" bei der Dokumentation ausgestellt. Nur Unwissende können heute fragen: „Warum habt ihr nicht unterschrieben?" Zigmillionen Menschen auf der ganzen Erde freuen sich über die Bewahrer der Lauterkeit und lassen sich willentlich von ihnen unterweisen.

Vom Tag meiner Befreiung aus dem Lager kann ich nur wenig erzählen. Für mich waren die letzten Monate im Restkommando schon ein Vorgeschmack der Freiheit. Meine Aufgabe war es, im angrenzenden Flüchtlingslager, welches aus Holzbaracken bestand, den Brandschutz zu übernehmen. Ich überwachte alle Öfen und trug immer einen Universalschlüssel bei mir. Ein Wachposten brachte mich morgens ins Lager und holte mich abends wieder ab. In diesen Monaten war ich immer gut informiert und setzte meine Missionsarbeit fort, die mir die Nationalsozialisten verboten hatten.

Das Resultat blieb natürlich nicht verborgen. Viele hörten erstaunt zu und zehn Personen nahmen die Wahrheit an und ließen sich später taufen. Am schlimmsten war, daß bei der

Erhebung einer SS-Kommission sich kein 15- oder 16jähriger Junge zur Wehrertüchtigung meldete.

Von den Familien, die die Wahrheit annahmen, wurde ich am Tag der endgültigen Befreiung aufgenommen. Seit 1943 hatte ich nach einer Mißhandlung eine Art traumatische Anfälle und konnte nur noch in Begleitung reisen.

Außerdem fühlte ich mich auch moralisch verpflichtet, meine Heilkenntnisse nicht nur den Häftlingen und den Flüchtlingen, sondern auch der Bevölkerung zur Verfügung zu stellen – im ganzen damaligen Kreis Büren.

Es entstand in der ärztlichen Versorgung eine Notlage, da der überwiegende Teil der Ärzte Mitglieder der NSDAP sein mußte und daher im Untergrund auf ihre Entnazifizierung wartete.

Bis hierher hört sich der schwer erkaufte Friede sehr harmlos an. Aber meine Missionsarbeit im Flüchtlingslager weckte natürlich auch das Interesse der Gestapo (Geheime Staatspolizei). Zu meinem Verhör wurden auch die Flüchtlinge herangezogen. Wegen anderer wichtigerer Angelegenheiten wurde mein Prozeß für später angekündigt. Dieses „später" hat es bis jetzt nach 50 Jahren – Gott sei Dank – nicht gegeben. Nur unser Kommandoführer Jakob gab mir aus eigenem Antrieb drei Tage Bunker bei Wasser und Brot, auf Zementboden versteht sich.

Sicherlich waren es unsere zwei politischen Häftlinge, die mit uns im Restkommando waren, die an einen bewaffneten

Widerstand dachten. Daß Zeugen Jehovas, laut einem Leserbrief im Westfalen-Blatt vom 16. März 1995, zum Teil bewaffnet gewesen sein sollten, ist völlig absurd und widerspricht der Glaubensüberzeugung, für die sie ein Jahrzehnt gelitten haben.

Laut Informationen aus dem Flüchtlingslager sollte unser Restkommando liquidiert werden, da wir die Kunstgegenstände der SS im Versteck vermauert hatten. Vier geplante Unternehmungen diesbezüglich schlugen wegen der eiligen Flucht der SS fehl.

Bestimmt können wir sagen, daß die „Fehlschläge" nicht alles Zufälle waren. Bestimmt war es Jehova Gott, der sagte: „Genug der Opfer."

Resümee –

nie die Hoffnung

aufgeben,

sondern auf

Veränderungen

warten

Rückblickend kann ich sagen, daß mich mein Gott Jehova, dem ich mich in jungen Jahren hingegeben habe, konsequent durch mein Leben leitet. Besonders deutlich wird diese Hilfe in schwierigen Lebenssituationen. Manchmal leide auch ich unter Verzweiflung und Niedergeschlagenheit. Mir ist klar, daß mir mein grundlegendes Vertrauen zu Jehova sowohl in der Vergangenheit als auch in der Gegenwart eine große Unterstützung war und ist. Auch schöpfe ich jedesmal eine Hoffung aus seinem Wort der Bibel und aus innigen Gebeten zu meinem Gott. Mein größtes Lebensziel stellt meine Konsequenz gegenüber meinem Hingabegelübde dar, egal was auch immer für ein Druck von außen auf mich eindringt.

Jehova hat mich mit einer wunderbaren und treuen Lebenspartnerin belohnt, die all die Charaktereigenschaften aufweist, die ich in jungen Jahren in Tildchen Neidhöfer gesehen habe. Mein ursprünglicher Liebeskummer, der mich lange, sehr lange Zeit gequält hat, ist durch meine Ehefrau Mathilde, »Tilda« genannt, vollkommen überwunden worden. Ihr gegenüber empfinde ich eine Zuneigung und Wertschätzung, die weit über die damalige Liebe hinausgeht. Ihren edlen Charakter kann ich nur lobend unterstreichen.

Es ist eine Tatsache, daß ich ohne die aufopfernde und fürsorgliche Hilfe meiner Frau kaum eine realistische Überlebenschance nach der Haftzeit gehabt hätte. Sie hat mich aufgepäppelt und gesundgepflegt. Außerdem hat sie meine charakterlichen Unzulänglichkeiten über fünf Jahrzehnte ertragen, wofür ich ihr sehr dankbar bin. Ich freue mich auf eine Zukunft, die mich auf eine Erfüllung der biblischen Prophezeiungen hoffen läßt, die seit Jahrzehnten treuen Dienstes für Jehova Gott feste Bestandteile unseres gemeinsamen Lebens darstellen.

Aufnahme von 1995

*Mathilde »Tilda«
im Jahre 1995*

Personenregister
mit Angabe der
Seitenzahlen

Barner (ein Glaubensbruder) 53
Bartels (Architekt) 123, 124
Bauer, Rudolf 44, 47
Becker (Kommandoführer) 114
Beix, Karl 102, 103, 108
Bernhardt (General) 199
Bingel (Pastor) 21, 50
Böhm, Gertrud 207
Böttcher, Franz 136
Buder, Paul 181, 186
Czilinski (ein Glaubensbruder) 120
Conde (ein Glaubensbruder) 53
Darwin, Charles 11, 13
Decker (Familie) 41, 87
Decker, Peter 87
Dickmann (ein Glaubensbruder) 134
Draht, Bernhard 134, 174, 181, 187
Dominke, Hermann 146, 148, 149
Ekrot, Fritz 144
Edling, Werner 172, 173
Feilschifter (ein Glaubensbruder) 183
Feustel, Gottfried 163, 164, 249, 250, 251, 254
Feustel, Kurt 251
Först, Gustav 114, 115
Freisenhausen (Familie) 204
Fuest (Bäcker) 174
Galton, Sir Francis 13

Göbel, Gottlieb   214

Haas (Obersturmbannführer)   128,129

Hagel, Dr. (Arzt)   181, 200

Hamer (Kommandoführer)   154, 155, 169, 170

Hanuschen (Hellseher)   57

Hehner, Conrad   36, 42

Helle, Otto   53, 59, 60

Henn (Lehrer)   29

Himmler, Heinrich   123

Hitler, Adolf   65, 123,187

Hoh, Paul   114, 115, 116

Hollweg, Anna sen.   11, 12, 49, 75, 83, 90, 91, 98, 99,
    101, 165, 166, 176, 178, 208, 218, 219, 220, 241

Hollweg, Anna   11, 23, 84, 85, 86, 92, 101, 159, 241

Hollweg, Artur   11, 16

Hollweg, Elfriede   11, 12, 89, 208

Hollweg, Elisabeth   10

Hollweg, Erwin   11, 48, 49, 75, 82, 207

Hollweg, Ewald   208

Hollweg, Herbert   207, 208

Hollweg, Hermann   11,14

Hollweg, Otto sen.   10, 48

Hollweg, Otto   11, 15, 16, 48

Hollweg, Paul   11, 179, 180

Hollweg, Peter   11, 14

Hollweg, Mathilde »Tilda«   201, 202, 204, 207, 209, 210, 231, 233, 234

Hollweg, Moritz   11, 14, 15, 48

Hombach, Maria   19

Huf (ein Glaubensbruder)   53, 61, 63

Jänisch (ein Glaubensbruder)   41, 50

Jakob (Kommandoführer
 mit Ehefrau und Sohn)   181, 182, 192, 199

Jordan (Obersturmführer)   160, 203

Kaiser, August   200

Klein (Wachmann)   176, 177

Klohe, Georg   142

Kinski (Wachmann)   174, 175

Kirsch, Karl   53, 63

Knauer (Bruder)   53

Knickenberg, A. (Architekt)   201

Koch (Lagerführer)   115, 118, 122

Kopecky (ein Glaubensbruder)   53, 61, 63

Krause, Wilhelm »Willi«   136, 181

Kuhn (Rapportführer)   151

Langner (Familie)   41, 77

Lehmann (Ehepaar)   129, 130

Lichtenfeld (Zivilmonteur)   111, 112, 113, 114, 116

Loschwitz, Max   104

Macher (Ritterkreuzträger) 192

Martens, Otto   132, 133, 134, 135, 136, 151, 153, 155, 160

Menche, Robert   83, 84

Müller, Amalie   189

Müller, Bohumil und Karl   55

Müller, Christine (Ehefrau von Karl Müller)   189, 200

Müller, Eleonore   191

Müller, Erwin   189

Müller, Johann (Ehemann von Maria Müller   188, 189, 200

Müller, Karl (Ehemann von Christine Müller)   188, 189, 200

Müller, Karl   132, 135, 140, 145

Müller, Lisi   189

Müller, Maria (Ehefrau von Johann Müller)   189

Müller, Mathilde »Tilda« (später meine Gattin; siehe Hollweg)   189, 200

Müller, Olga   189

Müller, Rosi   189, 191

Müller, Rudolf   189

Neidhöfer (Frau … Ehefrau von Wilhelm Neidhöfer)   30, 38

Neidhöfer, Herbert   31

Neidhöfer, Hildegard »Hilde«   31, 39

Neidhöfer, Mathilde »Tildchen«   31, 35, 231

Neidhöfer, Walter   31

Neidhöfer, Wilhelm   30, 32, 33, 34, 35, 36, 38, 39

Niemann (Frau)   187, 190

Nikolaizig, Erich   95, 100, 103, 111, 159

Opitz, Erwin   135, 136, 139

Opitz, Walter   135, 136, 139

Pape, Kurt   117

Passer, Rudolf   57

Pötzinger (Ehepaar)   54

Polster, Erich   174

Rehn (Oberscharführer)   162, 168, 169

Rieske, Hermann   128

Riffel (Bruder)   53, 59, 77

Rohde (Bruder)   53

Russell, Charles Taze   18

Ruffing, Franz und Minchen   202

Rutherford, Joseph Franklin   18

Sander, Dr. (Medizinalrat)   206

Schleicher (ein Glaubensbruder)   126

Schmidt, Adolf   132, 162

Schmidt (Familie)   203, 204, 205

Schneider (ein Glaubensbruder)   19

Scholz, Elli (später Ehefrau meines Bruders Erwin)   207

Schürmann (Wachposten)   186

Siefert (Familie)   71, 72, 73

Spencer, Herbert   13

Spriestersbach (Familie)   41

Thamm (Familie)   73

Vetim (ein Glaubensbruder)   53

Vetin, Artur   66, 67, 69, 70, 74

Vogel (ein Glaubensbruder)   25

Weiß, Otto   30

Weizdörfer (Ehepaar)   53

Wenzel, Hermann   168

Wicht, Ernst   174

Wilke (Ehepaar)   54

Wilke, Willi   134, 160, 173, 175

Wippermann (Frau und Tochter Ruth)   161, 175, 176, 177, 191

Ziegler (Hauptsturmführer)   187

Abschrift der handschriftlich verfaßten Briefe

Anhang Ich habe diese Briefe in meine Ausführungen eingefügt, weil sie für mich wichtige Dokumente sind, die ganz einfach den Zusammenhang, die verbindenden Elemente von Dingen, Eindrücken und Erinnerungen aufzeigen, ohne die es schwierig gewesen wäre, sozusagen auf sich allein gestellt, die schwierigen Situationen zu ertragen.

Die ursprünglichen Briefe sind in deutscher Schrift, in »Sütterlin«, verfaßt und wurden wegen der Lesbarkeit geringfügig – hauptsächlich in der Zeichensetzung – verändert.

■ Brief von Seite 90/91:
Ein doppelseitiger Brief meiner Mutter an mich –
während meiner Haftzeit im Untersuchungsgefängnis
in Frankfurt am Main

Meine Vorbemerkung:

Direkt nach meiner Verhaftung am 7.7.1938 in Lahnstein hatte ich keine Möglichkeit, in irgendeiner Form in Kontakt zu meinen beunruhigten Angehörigen zu kommen.

Aufgrund der nationalsozialistischen Gesetzeslage, bei der die Grundrechte faktisch aufgehoben waren, konnten mißliebige Personen ohne weiteres verhaftet werden. Für die nationalsozialistischen Machthaber galten Juden und Marxisten, zu denen in ihrer Weltanschauung alle Menschen gehörten, die sich nicht ihrem System beugten, die eine andere Ansicht hatten und die geistig gefährlich erschienen, als Feinde. Dazu zählten die Nazis auch die »Ernsten Bibelforscher«. Dazu zählte auch ich.

Fühlte man sich als einer dieser »Außenseiter« unrechtmäßig behandelt, war man auf sich allein gestellt. Die Einschaltung eines Rechtsbeistandes war nicht möglich und ein entsprechender Hinweis oder Wunsch wäre in einer Diktatur dem Hohn und Spott preisgegeben worden. Man war dem willkürlichen Terror der Machthaber ohnmächtig ausgesetzt.

Verhaftungswellen waren seit Beginn der Machtübernahme durch Adolf Hitler an der Tagesordnung. Bereits am 21.3.1933, als das »Gesetz zur Behebung der Not von Volk und Staat«, das sogenannte »Ermächtigungsgesetz« erlassen wurde, hatte sich Hitlers Regierung die Legitimation verschafft, eigenmächtig Gesetze zu erlassen und nach eigenem Gutdünken bestehende zu verändern.

Erst einige Tage nach meiner Verhaftung hat man mir erlaubt meinen Angehörigen, aus dem Untersuchungsgefängnis in Frankfurt am Main heraus, ein Lebenszeichen zukommen zu lassen.

Meine Mutter und meine Schwester Anna hatten mich während der gesamten Haftzeit mit ihren Briefen immer wieder gestärkt und mich ermuntert auszuharren. In keinem Brief hatten sie mir Vorwürfe gemacht, sich beklagt oder mich bestärkt doch irgendeinen Kompromiß einzugehen, um meine Lage zu verbessern. Ich schrieb ihr positives Verhalten, in Bezug auf meinen Standpunkt, der Beeinflussung durch unseren gemeinsamen Gott Jehova zu, der seine schützende Hand über seine Diener hält.

Marienfels, d. 15.7.38

Mein lieber Sohn Max,
Deinen lieben Brief haben wir erhalten, wie froh wir darüber waren, endlich ein Lebenszeichen zu hören, kannst Du Dir vorstellen. Wie schwer uns das alles wird, aber wir nehmen alles

mit Dank an, was der liebe Gott zuläßt. Ich habe das schon immer erfahren, daß er noch nichts verkehrtes zugelassen. Darum mit Gottes Hilfe, Geduld überwindet alles. Lieber Max, denke immer an Deinem Vater seinen schönen Spruch: Seid fröhlich in der Hoffnung, geduldig in Trübsal, haltet an im Gebet. Am 11. Juli ist Herrmann mit seinem kleinen Töchterchen Irmgard zu Besuch gekommen. Er war ganz unglücklich, daß Du nicht zu Hause warst. Er ist an der Pumpe im Garten, die will er fertigmachen und läßt Dich herzlich grüßen. Erwin geht ihm zur Hand, es geht ihm ja so leidlich, kannst Du Dir vorstellen, und auch Anna ist noch immer nicht besser. Herrmann und Erwin waren gestern bei ihr. Sie hat sich ja auch sehr erschrocken, aber sie war trotzdem sehr gefaßt. Gott sei Dank dafür und auch viele herzliche Grüße von ihr. Lieber Max, ich kann doch nicht gleich alles abschaffen, aber sobald ich sehe, daß es nicht geht, werde ich Deinen Rat befolgen. So lange ich kann, tue ich mein bestes. Aber in einigen Wochen bin ich schon 67 Jahre alt und was ich schon mitgemacht habe, weist Du gut. Aber Gott sei Dank nochmal, daß ihr alle nun ehrlich und brav seid. Mit Paul geht es ja besser, gestern war er beim Vertrauensarzt, muß aber noch 14 Tage feiern. Peter seine Frau ist ja auch nicht schlimmer geworden. Lassen auch alle grüßen. Peter kommt heute Abend mal nach Hause und am Samstag will die Maria mit der Kleinen ein paar Tage kommen. Die Helga nimmt ihre Schwester mit nach Marholz. Artur war auch am Mittwoch hier. Er fährt bei einem Spediteur in Wiesbaden, läßt Dich auch herzlich grüßen. Im Garten steht alles sehr schön, was Du gemacht hast, es hat auch sehr schön geregnet. Der Samen ist angekommen wie Du fort bist. Wenns noch möglich ist, macht Herrmann auch noch ein Bassin im Garten: 2 m lang, 1 m breit, 1 m tief. Bauers Lina melkt für uns die Kuh, bis Anna wiederkommt, auch einen schönen Gruß von ihr. Sonst ist noch soweit alles gesund, und Du weist so ziemlich alles, nun leb wohl und sei nochmal herzlich gegrüßt von uns allen, besonders aber von Deiner Dich nievergessenden Mutter

Auf Wiedersehen

■ Brief von Seite 98/99:
Ein doppelseitiger Brief meiner Mutter an mich –
während meiner Haftzeit im Konzentrationslager
Buchenwald

Meine Vorbemerkung:

Am 24.9.1938 kam ich im KZ Buchenwald, unmittelbar in der Nähe der »Goethe«-Stadt Weimar gelegen, an. Vorher hatte ich noch aus dem Untersuchungsgefängnis in Frankfurt am Main einen Brief an meine Familie abgesandt. Zu jenem Zeitpunkt (zirka Mitte Juli 1938) hatte ich keine Vorstellung, was auf mich zukommen sollte. Meine Mutter wird vermutlich angenommen haben, als sie den Brief vom 4.9.1938 verfaßt hatte, ich wäre noch in Frankfurt.

In der heutigen Zeit, in der es allein schon während des Denkprozesses umgehend möglich ist, nachrichtentechnisch mit einer anderen Person, zumindest telefonisch, in Kontakt zu treten, kann man sich die damaligen zeitlichen Verzögerungen in der Nachrichtenübermittlung, die ja außerdem zusätzlich durch die Zensur der Gestapo und SS erschwert wurden, kaum vorstellen. Daher erreichte mich der besagte Brief meiner Mutter, als ich mich in Buchenwald bereits »eingelebt« hatte.

Meine Mutter schilderte, sicherlich unbewußt, ganz einfach Alltagssituationen, die mich für kurze Augenblicke die Misere im KZ vergessen ließen. Diese kleinen Anekdoten hatten mich immer wieder erfreut und in eine hoffnungsvolle Zuversicht gebracht. Ein Lebenszeichen von außen war einem Gefangenen so wichtig, daß ein Brief wieder und wieder gelesen wurde. Trotz der Wirrungen habe ich die Briefe in Ehren gehalten. Sie erinnern mich an äußerst schwierige Erlebnisse, aber auch daran, wie ich ausharren konnte.

Marienfels, d. 4.9.38

Lieber Max,
ich kann Dir nicht in Worten schreiben, wie froh wir alle waren, als wir heute Mittag einen Brief von Dir erhielten. Deinen letzten Brief haben wir am 1.8. erhalten, aber ohne eine richtige Adresse. Der Brief kam von Nastätten und Abs. Max Hollweg, Marienfels. Ich habe überall befragt, aber ich wußte nicht wofür schreiben; ich wollte auch das Porto nicht unnütz wegwerfen. Du weist, daß ich immer noch einen halben Pfennig geopfert habe und heute muß ich das noch mehr denn je. Aber ich tue das gern für meine Kinder. Ich habe schon so oft erfahren, daß Gottes Güte und Treue jeden Morgen neu ist und Geduld überwindet alles, deshalb auf Gott vertraut. Er wird alles zum besten lenken. Für Dich einen Brief zu schreiben, habe ich immer Zeit und sei es in der Nacht. Ich hatte ja schon so manche schlaflose Nacht für Euch Kinder. Aber der liebe Gott hat bis hierher tragen helfen und wird uns auch weiter helfen. Deshalb verzage auch Du mein lieber Max nicht. Wir sind in Gedanken all Tag und Nacht bei Dir, aber besonders Deine

Mutter. Anna ist 9 Wochen in Ems gewesen. Du bist seit dem 7. Juli fort. Herrmann kam am 11. Juli und Anna haben sie am 19. Juli gebracht. Eine Schwester hat sie mit dem Auto an die Bahn in Ems gebracht, dann ist sie mit ihr nach Nassau gefahren und hat sie dort vorne ins Postauto gesetzt. Der Ludwig von Nastätten war gerade drin, der hat dann auf sie acht gegeben und so ist dann glücklich aber krank heimgekommen. Nun war sie ein paar Wochen daheim, bis sie soviel konnte, daß sie nach Wiesbaden gefahren ist, bei dem Moritz. Heute ist sie schon 14 Tage dort. So Gott will, kommt sie nächsten Samstag wieder. Gestern schrieb sie, daß es ihr schon in allen Teilen etwas besser ginge. Der Kochbrunnen [in Wiesbaden] ist sehr gut, und sie ist dort bei einer Homöopathin in Behandlung. Sie trinkt Tee und muß die kranken Stellen mit Salbe einreiben. Wir hoffen doch, daß ihr das wieder etwas auf die Beine hilft. Erwin macht alles so gut er kann, wenns nötig ist, hilft, und der Paul und Elsa. Vorige Woche haben wir unseren Wagen Korn gedroschen. Es war sehr gut. Paul hat geholfen, auch Else. Gestern haben wir unseren Wagen Hafer gedroschen, hat auch ganz gut gelaufen. Da hat uns Elsa Kirscher, Lina und Ludwig und Klärchen geholfen. Wir haben ihnen dagegen geholfen. Nur ist das Stroh noch sehr feucht, denn es war die letzte Zeit hier sehr schlechtes Wetter. Gestern haben die Leute am Grummet angefangen. Die Miehlerwiese haben wir somit gefüttert. Der Mais war sehr schön, die nächste Woche werde ich darum Blättermachen anfangen. Auch unsere Kartoffeln sind sehr schön. Ich habe 150 Erdbeerpflanzen gesetzt, 7 Brombeerenstecklinge, 2 Kletterrosen, alles gut. Moritz geschickt. Der Brunnen und die Pumpe hat Herrmann tadellos, aber mit schwerer Arbeit gemacht, denn er mußte direkt neben Deinem Schacht noch einen tieferen machen. Unten drin hat er Bruchsteinmauerwerk gemacht und darauf 4 Zementrohre aufgestellt, 6½ m tief. Das Wasser kam schnell, auch ein ganz neues Rohr hat er an die Pumpe gemacht, nun haben wir immer Wasser. Gott sei Dank. Bohnen, Möhren, Gurken, Gemüse, alles sehr schön. Gurken, Zwiebeln, Kohlrabi haben wir uns eingekocht. Der Wagen Futter, den Du schon bestellt hast, holen uns Ludwigs, sobald die nötigste Arbeit getan ist. So lange es nötig ist, können wir noch nicht abschaffen, denn wir wollen doch noch jeden Tag essen. Der Ableger von den Bienen ist geräubert worden. Der Theodor wollte doch noch ein wenig schleudern, aber das Wetter hat es noch nicht zugelassen, wir wollten dann zusammen machen. Auch haben ganz schönen Klee im Stück, fürs nächste Jahr, wenn wir ihn noch brauchen. Das Backrezept wird probiert, sobald die Anna zu Hause ist. Ich will das Elfriede auch noch noch schreiben, vielleicht kann sie Dich mal besuchen. Bei mir fehlen natürlich traurigerweise die Mittel. Vielleicht kommst Du doch bald wieder. Ich verstehe nicht, daß sie Dich eingesperrt haben, bis jetzt ward ihr doch alle brav. Von mir habt ihr doch nur Gutes gelernt. Von Frau Brecker Margot und besonders Heinz soll ich herzliche Grüße bestellen. Er ist ganz unglücklich über Dich. Peter seine Frau kam gestern Abend mit den beiden Kleinen, will die Woche hierbleiben und helfen mir, Waschen und alles putzen, bis die Anna kommt. Peter schafft an der Bahn im Bauzug, da kann er nicht heimkommen. Jedenfalls kommt er ungefähr Samstag heim. Auch von ihnen allen viele herzlich Grüße. Auch Paul und Else lassen herzlich grüßen. Herrmann muß ich auch noch Nachricht von

Dir geben. Diese Woche hat er schon wieder nach Dir gefragt. Auch Anna und Moritz und Auguste; Morgen bekommen sie alle Nachricht. Nun weist Du wieder so ziemlich alles und sei herzlich gegrüßt von uns allen, besonders aber von Deiner Mutter.

Auf Wiedersehen.

Ich schicke Dir ein Bild von unserem braven Lord mit [unser stolzer Schäferhund – wenn er fotografiert wurde, setzten wir ihm eine Brille auf und er hielt eine krumme Pfeife in der Schnauze] Pfeife und Herrmann seiner kleinen Irmgard.

■ Brief von Seite 163/164:
Brief von Gottfried Feustel, einem meiner Mitgefangenen im KZ Niederhagen (Wewelsburg), an meine Mutter

Meine Vorbemerkung:

Gottfried Feustel hatte zu jenem Zeitpunkt einen kurzen Aufenthalt in »Freiheit«. Einige Glaubensbrüder, dazu gehörten neben Gottfried auch sein leiblicher Bruder Kurt, wurden als »wehrtauglich« eingestuft und zum Militärdienst – zur »Wehrmacht« – eingezogen.

Für die geplanten Feldzüge der Nazis, für den »totalen Krieg«, brauchte man Menschenmaterial in ungeheueren Ausmaßen. Trotz Repressalien und Drohungen blieben die Brüder allerdings standhaft und ließen sich durch die Parolen der Nazis nicht in ihrer neutralen Haltung beeindrucken. Auch die sanften psychologischen Druckmittel, wie die Beeinflussung durch den engsten Familienkreis, zeigten nicht die gewünschte Wirkung.

Gottfried stellte in seinem Brief die Ausführungen seiner Frau dar, die ihm mit allzu Menschlichem und Naheliegendem ins Gewissen reden wollte, um ihn zu veranlassen eine Entscheidung zugunsten des Naziregimes herbeizuführen. »Pflichterfüllung« wurde in dem dogmatischen System der Nazis als eine herausragende Eigenschaft angesehen, davon ließ sich auch Gottfrieds Ehefrau beeindrucken und so schrieb sie beispielsweise: »Ich habe die Verantwortung für meine Kinder übernommen und kann mir da keine Schlinge um den Hals legen. ... ich werde mir am Ende meiner Tage sagen können: Ich habe meine Pflicht getan.«

Im Nachhinein ist es schwierig – wenn überhaupt – zu sagen, welche seelischen Auseinandersetzungen Gottfried Feustel in der damaligen Zeit durchgestanden hat, jedenfalls hat er eine Entscheidung für seinen Gott Jehova getroffen. Gottfried bezeichnet es in seinem Brief als »eine große Gnade [...] selbst mit leuchten zu dürfen, indem wir durch unsere Handlungsweise bekunden, daß wir unserem Führer und König Jesus Christus nachfolgen«.

Gottfried Feustel und seine Glaubensbrüder kleideten sich erst gar nicht in die Wehrmachtsuniform ein. Man biß sich die Zähne an ihnen aus und teilte ihnen schließlich zivile Aufgaben in der Küche zu. Nach sechs Wochen wurden sie wieder in »unser« KZ eingewiesen.

Die unsäglichen Torturen und Schindereien, die diese »Kriegsdienstverweigerer« allerdings dann über sich ergehen lassen mußten, waren körperlich kaum zu ertragen. Aber mit der Hilfe Jehovas und der Hoffnung, die sein Wort vermittelt, mit Aussichten, die die ganzen schrecklichen Geschehnisse vergessen läßt, haben die Glaubensbrüder durchgehalten.

Außerdem wollte Gottfried meiner Mutter mitteilen, daß sie sich um mich keine unnötigen Sorgen zu machen brauchte und ein Zeichen geben, daß ich noch am Leben wäre.

Gottfried ist später verlegt worden und hat treu ausgeharrt, wie auch sein Bruder Kurt.

Paderborn, am 9.3.1941

Liebe Schwester in Christo.
Zu allererst sagen wir Dank unserem guten Gott Jehova, was er an uns Menschenkindern getan hat. Wie er seine schützende Hand über die hält, welche auf ihn vertrauen, wollen wir doch immer zu ihm, dem erhabenen großen Schöpfer aller guten Dinge, wie Kinder sein. Habe ich mich immer gefreut wenn Du Deinem Sohn ermunternde Worte in brieflichem Austausch zusandest. Etwas köstlicheres kann ich mir gar nicht denken als in Harmonie mit unserem ewigen Gott und unserem Führer Jesus Christus zu sein. So wie er nun sich nicht widerspricht und sein Versprechen hält, was er uns in seinem Vorhaben kundgetan hat, so wollen auch wir nicht verfallen dieses wenige, was wir ihm gegenüber tun können, ebenfalls zu halten. Wir bleiben vorläufig hier, laut Anordnung des Generalkommandos, arbeiten in Zivil. Könnte mir nicht unseren Führer vorstellen mit einem Schwert oder Gewehr in der Hand, im Gegenteil, er sagte zu Petrus, wer das Schwert nimmt, wird durch dasselbe umkommen. Mußten vor etlichen Tagen zum

Rechnungsführer kommen, selbiger teilte uns mit, daß wir pro Tag 33⅓ Löhnung bekommen, wenn wir uns aber einkleiden ließen; dann wie alle anderen 1,00 pro Tag, Stiefelgeld u. für die Frauen Unterstützung bekämen, kommt aber für mich und für alle die, die die Königsreichsinteressen vertreten nicht in Frage. Liebe Schwester, es ist nicht nötig Dich zu trösten auf Deinen Max hin, denn Du weißt ja, was ihn beschützt und so bist du dieser Sorge enthoben. Nun etwas von mir aus meinem Eheleben. Bin 40 Jahre alt, davon 20 Jahre verheiratet. Habe 2 Kinder, Jungens, die sind 19 u. 12 Jahre. Den letzten Brief meiner Frau sende ich Dir in Abschrift mit. [»] Lieber Gottfried Deinen Brief vom 28.2. habe ich erhalten. Eben habe ich unserem Hans geschrieben, der ist in Prag beim Arbeitsdienst, und nun möchte ich Dich auch nicht warten lassen. Unserm Hans geht es soweit ganz gut und ist gesund. Gottfried Du verlangst verschiedenes von mir. Aber ich kann Dir diese Sachen nicht schicken. Warum? Wenn Du dort arbeitest, so ziehe an was man Dir gibt. Du hast ja im Lager auch Anstaltskleidung tragen müssen, und die war ja auch staatlich. Deinem Glauben kann es doch egal sein, ob die Hose schwarz oder grau sieht. Ich würde Dich doch in Deinem Glauben bloß unterstützen und das tu ich nicht. Auf der einen Seite kämpfe ich um Deine Freiheit, auf der anderen Seite wäre es das Gegenteil. Ich habe die Verantwortung für meine Kinder übernommen und kann mir da keine Schlinge um den Hals legen. Vier Jahre sorge ich nun allein für uns, daß macht mich stolz, da brauche ich mich nicht zu schämen. Ich brauche mich bloß noch auf einer Seite bedanken, und zwar bei denen, welch Dir die verrückten Gedanken eingeblasen haben. Bei diesen Halunken, die es nicht wert sind, daß sie die Sonne bescheint. Schreibe in Zukunft Deine guten Ermahnungen an sie, damit sie nicht vergessen, daß sich alle Schuld einmal auf Erden rächt. Gottfried, niemals werden wir eines Sinnes werden, niemals könnte es wieder so werden wie vorher. Hast Du eine Stirne von Diamant, ich habe ein Herz von Stein. Denke über mich wie Du willst, mag es Dich traurig machen oder nicht, mir ist es gleich. Ich habe gelernt in den vier Jahren, was es heißt von einem Menschen verlassen zu sein, dem ich mein Leben anvertraute. Ich wünsche mir bloß noch eins, einmal meine Kinder versorgt zu wissen und ich werde mir am Ende meiner Tage sagen können: Ich habe meine Pflicht getan. Mariechen. [«] Wie groß ist die Finsternis liebe Schwester, wir alle können nicht genug unserem herzlichen Vater danken, für das große Licht welches Jehova angezündet hat vor 1940 Jahren und das wir dasselbe in uns aufnehmen durften. Es ist eine große Gnade und ein noch größeres Vorrecht heute selbst mit leuchten zu dürfen, indem wir durch unsere Handlungsweise bekunden, daß wir unserem Führer und König Jesus Christus nachfolgen. Meine Mutter ist gegen mich, meine Frau und Kinder, aber nicht diejenigen, die wir geloben unserem Führer treu zu bleiben. Würde mich freuen von Dir etwas zu hören.

Es grüßt Dich in Christo Gottfried u. Kurt Feustel
Viele Grüße an Max.

■   Brief von Seite 165/166:

Antwortbrief von meiner Mutter an Gottfried Feustel,
auf sein Schreiben vom 9.3.1941

Meine Vorbemerkung:

Als Gottfried Feustel an meine Mutter schrieb, und sie ihm wieder antwortete, wußte er noch nicht, daß wir uns im KZ Niederhagen (Wewelsburg) nach einigen Wochen wiedersehen würden und was in »unserem« Lager noch an schmerzlichen Erfahrungen auf ihn zukommen würde.

Marienfels, d. 14.3.41

Lieber Bruder in Christo.
Wie sehr ich mich, und meine beiden Kinder, die noch zu Hause bei mir sind, über Deine beiden Briefe gefreut haben kann ich Dir in Worten gar nicht aussprechen. Also nochmals den allerherzlichsten Dank. Wie oft habe ich unserem himmlischen Vater im Gebet gebetet, mich dochmal wissen zu lassen, wie es meinem lieben Max in Wirklichkeit geht und auch zu Mute ist. Also auch dieser Wunsch ist mir in Erfüllung gegangen. Darum unserem Gott Jehova täglich Lob und Dank. Wie habe ich schon so oft erfahren, wie er noch heute Wunder an uns Menschenkindern tut, wenn man sich auf ihn allein verläßt und ihm anvertraut. Darum rufe ich auch dir zu: Wer auf Gott vertraut, hat auf festem Grund gebaut. Und wenn Deine Mutter und Deine Frau einmals eines Sinnes mit Dir wird, so denke

immer, Herr vergib ihnen, denn sie wissen nicht, was sie tun, denn die Menschen, sind mit frömmischen Ohren taub und mit sehenden Augen blind. Aber bleibe dem Herrn und Heiland treu. Er wird Dir alles tragen helfen und wird alles mit seiner schützenden Hand wohl machen und alles zu unserem besten lenken. Lieber Bruder, Du weißt ja wie es heißt, wer nicht verläßt Vater und Mutter, Weib und Kind, der kann nicht mein Jünger sein. Deshalb nur guten Mut, die Zeit ist noch kurz, bis zu unserer Erlösung. Mein lieber Max ist auch schon am 3. Juli 41 3 Jahre von uns fort und wie schnell sind dieselben dahin gegangen, obschon es uns ein Jahr lange Trauung bedeutet. Wir freue ich mich, daß er seinem Herrn und Heiland so treu und standhaft aushält. Darum sei auch Du unverzagt und schreibe wenn es möglich ist immer nochmal. Sollte Dir etwas fehlen, so schreibe aber bitte, vielleicht kann ich Dir helfen und dann schreibe mir mal wer der Kurt ist, oder ist es noch ein leiblicher Bruder oder Verwandter von Dir? Dürft Ihr auch Paketchen empfangen? Gestern Abend habe ich meinem Max geschrieben und habe ihm auch Eure Grüße ausgerichtet. Es würde mich sehr sehr freuen recht bald wieder etwas von Euch zu hören und seid beide recht herzlich gegrüßt von Eurer Schwester in Christo

Anna Hollweg Wtw.
Ich lege eine Briefmarke bei
Marienfels über Nastätten im Taunus

Schlußbemerkung

Meine Aufzeichnungen verstehen sich als meine persönliche Sichtweise. Ich bitte um Nachsicht, wenn die Schreibweise des einen oder anderen Namens oder einer Ortschaft nicht richtig wiedergegeben ist. Mein Buch erhebt keinerlei wissenschaftlichen oder religiösen Anspruch.

Dankbar werde ich Anregungen für eine eventuelle Nachauflage aufnehmen und eingeschlichene Fehler korrigieren. Diese Anmerkung soll aber auf keinen Fall die Aussagekraft meiner Ausführungen in irgendeiner Weise schmälern. Als Zeitzeuge verbürge ich mich für deren Wahrheitsgehalt.